BERLIN *PHOTOGRAPHIEN VON WALDEMAR TITZENTHALER*

BERLIN

PHOTOGRAPHIEN VON WALDEMAR TITZENTHALER

MIT BILDERLÄUTERUNGEN

VON JÜRGEN GROTHE

UND EINER EINFÜHRUNG

VON WILHELM VAN KAMPEN UND

REINHARD KIRCHNER

HERAUSGEGEBEN

VON DER

LANDESBILDSTELLE BERLIN

NICOLAISCHE VERLAGSBUCHHANDLUNG BERLIN

Herausgeber und Verlag
danken Frau Evelyn Fritsche
für die sorgfältige Herstellung
der Druckvorlagen zu den Bild-
tafeln in der Fotowerkstatt der
Landesbildstelle Berlin.

5. Auflage 1989
© 1987 Nicolaische Verlagsbuchhandlung
Beuermann GmbH, Berlin (Texte)
und Landesbildstelle Berlin (Photographien)
Alle Rechte vorbehalten
Satz: Nagel Fototype, Berlin
Offsetlithos: O.R.T. Kirchner+Graser GmbH, Berlin
Druck: Passavia GmbH, Passau
Einband: Lüderitz und Bauer GmbH, Berlin
Printed in Germany
ISBN 3-87584-195-6

WALDEMAR TITZENTHALER ALS BERLIN-PHOTOGRAPH

Die Geschichte der Berlin-Photographie kann heute noch nicht als erforscht gelten. Erst spät, als manche Spur schon verweht war, begann man sich in der vom Krieg arg mitgenommenen Stadt für die Photographen zu interessieren, die das Bild der Metropole, ihre Straßen und Plätze und das Leben in ihnen, in jenem Medium überliefert haben, dessen Faszination sich in den vergangenen Jahrzehnten immer mehr gesteigert hat. Heute gelten Originalabzüge als Kostbarkeiten, und die Frage, wie man sie und die Negative erhalten kann, hat immerhin begonnen, die Fachleute zu beschäftigen. Das Interesse an alten Photographien und die Nostalgie des manchmal fast wehmütigen, aber oft täuschenden Blicks auf die nun so heil und unversehrt erscheinende Stadt des 19. und frühen 20. Jahrhunderts fließen hier zusammen.

Aber die Photographien, die diesem Interesse genügen und von denen viele Berliner gar nicht genug sehen können, waren früher bekannt, ja sogar berühmter als die Photographen, die sie aufgenommen haben. Und selbst heute, da schon manche Veröffentlichung ihnen gewidmet worden ist, sind ihre Namen außerhalb eines kleinen Kreises Interessierter noch wenig bekannt. Neben Albert Schwartz, Friedrich Seidenstücker und anderen gehört Waldemar Titzenthaler zu diesen Chronisten mit der Kamera, ohne deren oft jahrzehntelange Arbeit wir uns heute kein »Bild« vom früheren Berlin würden machen können.

Waldemar Titzenthaler war von Haus aus kein Berliner. Bevor er im Jahre 1896 nach Berlin zog, hatte er in Oldenburg, Hannover, Berchtesgaden, Leipzig, Lausanne und Königsberg gelebt. Das waren im Vergleich zur Hauptstadt meist mehr oder weniger beschauliche Provinzstädte. Auf dem Gebiet des späteren Groß-Berlin lebten damals immerhin schon über zwei Millionen Einwohner.

Warum Titzenthaler nach Berlin kam, ist nicht überliefert, aber wir liegen wohl nicht sehr falsch, wenn wir ein unternehmerisches Interesse unterstellen, auf das die rapide wachsende Stadt magnetisch wirken mußte. Ein Jahr später, 1897, machte er sich selbständig mit einem Atelier in der Leipziger Straße 105 (4. Stock), das er 1910 in die Friedrichstraße 242 (3. Stock) verlegte. Gegen Ende seines Lebens, etwa 1934, zog er noch einmal um nach Lichterfelde in die Hermannstraße 32 (seit 1936 Zerbster Straße); er starb am 7. März 1937.

Geboren wurde er am 19. August 1869 in Laibach/Krain, sein Vater war der großherzoglich-oldenburgische Hofphotograph Franz Titzenthaler.

Das Photographenhandwerk blieb Familientradition: Waldemars 17 Jahre jüngerer Bruder Edgar machte sich nach dem Ersten Weltkrieg in Charlottenburg als Industriephotograph selbständig.

Abb. 1
Waldemar Titzenthaler um 1900

Manches hat Waldemar Titzenthaler sicher schon im Atelier seines Vaters gelernt, die eigentliche Lehre aber machte er bei Karl Wunder in Hannover. Dieser Photograph ist heute genauso unbekannt wie Waldemars Vater Franz. Bis heute bekannt geblieben ist dagegen die Firma Zander und Labisch, in die Waldemar Titzenthaler 1896 als »1. Operateur« eintrat. Der Ingenieur Zander hatte 1895 ein Großphoto der Löscharbeiten eines Brandes bei der Aufzugfirma Flohr an die »Berliner Illustrirte Zeitung« verkauft (sie gehörte seit 1894 ganz zum Ullstein-Verlag). Dort hatte man ihn zu weiteren Pressephotos ermuntert. Mit dem Kaufmann S. Labisch gründete er bald darauf ein Atelier, das mindestens bis 1939 bestanden hat.[1] Hier hat Waldemar Titzenthaler sicher viele Kontakte knüpfen können, die er brauchte, um sich selbständig zu machen. Bereits 1897, als er gerade sein eigenes Atelier eingerichtet hatte, lieferte er mehrere Bildserien an den Ullstein-Verlag. Und eine Werbekarte, die vor 1910 entstanden sein muß, führt eine große Zahl bekannter Industriebetriebe an, in denen er, wie vermerkt wird, bis zu mehreren hundert Aufnahmen angefertigt hat (siehe Abb. 4).

Das

Photographische Institut
Waldemar Titzenthaler
Berlin W., Leipzigerstraße 105

empfiehlt sich zur Anfertigung aller Arten und Grössen von

Photographien

in jedem Druckverfahren.

Als Specialität = Aufnahmen (im In- und Auslande) von:
Tagesereignissen für Zeitungs-Illustrationen;
Architecturen; Landschaften;
Innenräumen (mit und ohne Personen) von **gewerblichen Etablissements;**
Fabriken; Privathäusern;
Maschinen; — Kunst- und Industrie-Gegenständen für Holz-
schnitt und Photochemische Vervielfältigung.
Sportbilder. — Gruppen-Aufnahmen bei Tages- und künst-
lichem Licht u. s. w.

Reproductions-Anstalt für Gemälde, Zeichnungen, Pläne, Vergrößerungen ꝛc.

Verlag von Kunstblättern — Landschafts-, Portraits-, Genre-Bildern u. dgl. m.

1. 4. 1897.

Abb. 2
Geschäftskarte

Eine große Rolle spielte damals bereits die Amateurphotographie, die sich seit 1888 in eigenen Vereinen organisierte; seit 1887 existierte eine Fachzeitschrift für Amateurphotographie. Eine ebenfalls vor 1910 entstandene Werbekarte Titzenthalers spricht diesen Kundenkreis an (siehe Abb. 5). Obwohl viel häufiger als heute der Photoamateur seine Aufnahmen auch selbst entwickelte und abzog, wurden besonders Aufnahmen, die gelungen waren und sich zum Vorzeigen eigneten, den Berufsphotographen ins Labor gegeben. Das wurde auch deswegen üblich, weil die Entwicklungsverfahren immer genauere Handhabung verlangten, dann aber auch erstklassige Resultate lieferten. An den damals schon weit in die Tausende gehenden Stückzahlen gängiger Photoapparate läßt sich ablesen, wie verbreitet das Photographieren schon geworden war. 1918 hat Titzenthaler unter dem Titel »Berlin und die Mark« ein »photographisches Wanderbuch« verfaßt und mit eigenen Aufnahmen illustriert. Verlegt wurde es vom Kamera- und Objektiv-Hersteller C. P. Goerz in Berlin-Friedenau. Außer der Werbung für Goerz besteht das Buch vorwiegend aus Tips und Erläuterungen für den Amateur. Es scheint das erste Werk

in seiner Art zu sein und hat wohl deswegen schon 1924 die dritte Auflage erreicht.

Von 1907 bis 1911 war Titzenthaler Vorsitzender des »Photographischen Vereins zu Berlin«. Das spricht für seine Reputation als Photograph und selbständiger Unternehmer unter den Standesgenossen, die ihn schließlich auch zum Ehrenmeister ihrer Innung machten. Als Fachmann fand er aber offenbar auch allgemeine Anerkennung, denn seit 1910 war er als beeidigter Sachverständiger in photographischen Fragen bei den Gerichten, ab 1912 auch bei der Handelskammer in Berlin zugelassen. 1918 wurde er Mitglied der Staatlich-Preußischen Sachverständigenkammer für Photographie.

Eine Äußerung zur Zukunft seines Faches fällt in das Jahr 1908, als er eine Ausstellungsbesprechung zum Anlaß nahm, auf die technische Photographie als Zukunftsrichtung der Berufsphotographie hinzuweisen.[2] Übrigens war er seit 1901 auch noch Mitglied der »Freien photographischen Vereinigung zu Berlin«.

TECHNIK

Die in diesem Buch wiedergegebenen Aufnahmen, deren Negative im Archiv der Landesbildstelle Berlin aufbewahrt werden, sind meist mit Glasplatten im Format 24 x 30 cm gemacht worden, die Abbildungen auf den Seiten 23, 66, 68, 70, 83, 88 im Format 18 x 24 cm, die Aufnahmen des Panoramas (nach Seite 52) und auf Seite 57 sogar im Format 30 x 40 cm. Titzenthaler hat aber auch mit kleineren Formaten gearbeitet. 1918 schreibt er in seinem »photographischen Wanderbuch«, daß er seit fast 20 Jahren eine Kamera für das Format 9 x 12 cm mit auf Reisen nehme.

Eine durchschnittlich scharfe Aufnahme Titzenthalers kann ohne weiteres fünffach vergrößert werden, oft ist eine mehr als zehnfache Vergrößerung möglich, ohne daß die geringsten Unschärfen auftreten. Diese Qualität hat mit der geringen Empfindlichkeit des verwendeten Film- und Plattenmaterials zu tun; es ist der Nachteil der heute durchgängig verwendeten hohen Empfindlichkeiten, daß sie solche Vergrößerungen nicht zulassen; für diesen Zweck wird auch heute Filmmaterial geringerer Empfindlichkeit verwendet. Das von Titzenthaler verwendete Goerz-Objektiv »Dagor« hatte eine selbst für die damalige Zeit geringe Lichtstärke. So ergaben sich selbst bei Sonnenschein Belichtungszeiten von 1/20 Sekunde oder länger. Bewegte Gegenstände oder sich bewegende Personen erscheinen daher unscharf. Ein Trick des Photographen, diesen Nachteil nicht so deutlich werden zu lassen, bestand darin, bewegte Objekte erst im Mittelgrund des Bildes erscheinen zu lassen; die Unschärfe fällt dann nicht so stark auf. Natürlich wurden verwischte Personen für die Publikation eines Bildes wegretuschiert. Die Verwendung des »Dagor«-Objektivs beruht wahrscheinlich auf seiner Qualität der Durchzeichnung. Das 1892 patentierte, 1893 in die Fertigung gegangene Objektiv war wohl der erste ausgereifte Doppelanastigmat, den man überdies für andere Zwecke (geringere Durchzeichnung, hohe Lichtstärke, Teleeffekt) auch auseinandernehmen und als einfachen Anastigmaten verwenden konnte. Der Typ »Anastigmat« besteht aus einer doppelkon-

Abb. 3
Arbeitsraum des Ateliers in der Leipziger Straße 105

vexen und einer konkav-konvexen Linse, die beim Doppelanastigmaten spiegelbildlich verdoppelt werden; dadurch werden eine ganze Reihe Abbildungsfehler vermieden. Dieser Typ wird auch heute noch als hochwertiges Objektiv gefertigt. Die Firma Goerz ging übrigens 1930 an Carl Zeiss (Jena) über, die Berliner Produktion wurde eingestellt.

Jede belichtete Platte mußte der Kamera einzeln entnommen und in einer Kassette zum Labor gebracht werden; für die Entnahme wurde ein schwarzer Sack benutzt. Der Wechsel großer Platten dauerte mehr als eine Minute, wobei auch noch ein Gehilfe gebraucht wurde. Für jedes Motiv mußte die Kamera neu eingestellt werden (Sucher wurden erst nach 1900 bei den Kleinbildkameras eingeführt), und für die Messung der Belichtung existierten viele unzuverlässige Methoden und nur eine zuverlässige: die Erfahrung des Photographen (sogar mit der Größe der menschlichen Pupillen hat man versucht, die Helligkeit zu messen).

Das Atelier Titzenthaler hat in den ersten zehn Jahren 20 000 Aufnahmen gemacht, also pro Tag etwa sechs bis sieben. Unter den geschilderten Bedingungen war das viel, besonders wenn man in Rechnung stellt, wie viele mißlungene Aufnahmen, damals wie heute, weggeworfen werden mußten.

MOTIVE

Die technische Qualität von Apparat und Filmmaterial allein garantiert allerdings noch kein gutes Bild. Als Titzenthaler sich 1918, also nach mehr als 20 Berufsjahren, dazu äußerte, unterschied er zwischen bloßen »Ansichten« und »Bildern«.[3]

Ansichten waren für ihn »die nüchternen Wirklichkeitswiedergaben einzelner Gebäude, die auf den die Stadt durchbummelnden Fremden Anziehungskraft ausüben«. Als Beispiele nannte er »Dom, Zeughaus, Kaiser-Wilhelm-Denkmal usw.«. Titzenthaler selber hat, wohl aus ge-

schäftlichen Gründen, viele solcher Ansichten photographiert. Was ihn als Photographen aber wirklich bewegte und schließlich für die Qualität vieler seiner Berlin-Aufnahmen wesentlich wurde, erschließt sich aus seiner Bemerkung: »In den geradlinigen, im rechten Winkel gekreuzten Geschäftsstraßen der Innenstadt ist es nicht ganz leicht, »Bilder« zu finden. Doch wenige Schritte, die uns aus den geräuschvollen Straßen abseits führen, lassen uns manche Stelle entdecken, die zum Photographieren reizt.« Diese Absicht, »mehr auf die versteckten und doch malerisch wirksamen Bildvorwürfe aufmerksam zu machen«, ist an vielen seiner Berlin-Photographien nachzuvollziehen. Und es scheint, als ob sich hier das ästhetische Interesse des Photographen schon mit einer nostalgischen Stimmung verbindet, die ihre Befriedigung vor allem im Aufspüren des »alten« Berlin fand: »Nur wenige Schritte, nachdem man in die Niederlagstraße eingebogen ist, braucht man zu gehen, und man meint nicht mehr im Berlin der Gegenwart, sondern in Alt-Potsdam zu sein. Niedere Häuser mit wegversperrenden Kellerhälsen schließen sich an die feingeformte Pergola des Vorgartens des kronprinzlichen Palais an, und erst von hier aus kann man die eigenartige architektonische Wirkung der Werderschen Kirche recht würdigen, die, vom Werderschen Markt aus betrachtet, zwischen den stil- und wesensfremden Geschäftshäusern einsam und verlassen zu sein scheint.«

»Die meiste Ausbeute« fand dieses nostalgische Interesse in dem Alt-Berliner Viertel um die Straße »Am Krögel«, das »sein altes Gepräge bis heute (also 1918, d.V.) in allen seinen Teilen am treuesten bewahrt« hatte: »Es lohnt nicht nur, den alten ›Badegang‹ selbst zu durchschreiten, sondern auch in die verschiedenen ihn umgebenden großen und kleinen Höfe einzudringen, sie zu durchstöbern und Beute für die Kamera zu suchen.« Hier fanden sich »noch viele kleine Treppenwinkel und Torecken, die es verdienen, photographiert zu werden«.

Aber die Suche nach dem, was »von Alt-Berlin erhalten blieb«, geht noch weiter: »Ein Rundgang durch die Höfe der Stralauer Straße, der Fischerstraße, der Fischerbrücke, des Jüdenhofes und der diese umgebenden Stadtteile läßt uns noch manches Bauwerk, manchen alten, von der Spitzhacke verschonten Schwibbogen, manch alte Holzgalerie und gewundenen Treppenaufgang entdecken, die auf die Kamera zu warten scheinen. Man findet solche alten Baulichkeiten, in und an denen es sich lohnt, nach ›Motiven‹ aus alter Zeit zu suchen, in der Fischerstraße, An der Fischerbrücke, in der Stralauer Straße, im Jüdenhof, in der Parochialstraße, Waisenstraße, Friedrichsgracht, Petristraße, Neuen Grünstraße (auch in der Grünstraße sind einige alte Häuser bemerkenswert), Breiten Straße, Brüderstraße, Unterwasserstraße, Oberwasserstraße, An der Schleuse, in der durch Wilhelm Raabes ›Chronik der Sperlingsgasse‹ bekannten Spreestraße und Ritterstraße. In der Wegelystraße fällt die alte Tiergartenmühle auf, und um einzelne Häuser zu erwähnen, sei hingewiesen auf das Ermelersche Haus in der Breiten Straße, das Knobelsdorffsche Palais auf dem Kupfergraben 7, das schöne alte Landhaus Tiergartenstraße 28, das Schicklersche Bankhaus, Gertraudtenstraße 16, mit seinem verträumten Gartenhäuschen, das verwundert aus der Stille seines alten Gartens über die Mauer hinweg in das Hasten und Jagen der Gegenwart blickt und sich unter die Äste der großen, schützenden Kastanie duckt.«

Auch Gegensätze anderer Art zogen ihn an: »Über den alten Geschützen im Kastanienwäldchen, hinter der Hauptwache, liegt sowohl im Frühlingssonnenschein zur Blütezeit, wie auch an Wintertagen, wenn Schnee oder Rauhreif Kanonen und Äste bedeckt, eine eigenartige Stimmung. Dem Händler, der seine Christbäume, die Symbole des Friedens, rings um die alten, längst verstummten Zeugen deutscher Heldenkämpfe aufbaut, ist es vermutlich noch niemals zum Bewußtsein gekommen, welche Gegensätze die gemeinsame Schneehülle im Kastanienwäldchen zudeckt.«

Diese mehrfach geäußerte Vorliebe Titzenthalers für »scheinbar vergessene, stille Ecken, in die nur selten ein Hall vom Lärm der nahen Großstadt dringt«, ist bemerkenswert bei einem Photographen, der uns wie nur wenige andere diese Großstadt in seinen Bildern nahegebracht hat. Wenn man seine Aufnahmen von den Straßen und verkehrsreichen Plätzen betrachtet, glaubt man fast jene »Sozialgeräusche« zu hören, von denen Walter Kiaulehn in seinem Berlin-Buch gesprochen hat[4]: die Signale des Verkehrs, das Getrappel der Pferde und das Geräusch der Motoren, die Drehorgeln und die Straßenverkäufer. In seinem Buch von 1918 dagegen beklagt Titzenthaler fast, »daß die schön geformten alten Baumriesen mit den darunterstehenden verwitterten Sandsteingruppen auf den Wiesenflächen des Leipziger Platzes, die im Früh- und Nachmittagssonnenschein an verträumte, menschenverlassene Parkwinkel mahnen, (...) von dem größten Teil derer, die mit ›gezückter‹ Kamera das Stadtinnere durchstreifen, übersehen« würden.

BILDAUFBAU

Nach der Beachtung der Technik des Photographierens und der Auswahl der Motive galt die Sorgfalt des Photographen vor allem dem Aufbau seiner Bilder. Totalaufnahmen von Gebäuden, besonders von Kirchen, fand er nicht sehr interessant. Die meist stark in die Höhe tendierenden Bauten durchbrechen auch sein Bildschema, das er von der Mitte aus nach rechts und links aufgebaut hat. Der betonten Mitte, ob durch einen prominenten Bau, eine starke Perspektive oder auch nur eine Laterne hervorgehoben, entsprechen seitliche Abschlüsse, die nicht nur auf den Glasplatten vorhanden sind, sondern von Titzenthaler auch für die Publikation übernommen, also nicht abgeschnitten werden. Dieser Bildaufbau entstammt der spätromantischen Malerei und ist sicherlich zeittypisch. Bei Titzenthaler fällt jedoch auf, wie genau er sich fast jedesmal daran hält.

Wichtig war ihm natürlich der Zeitpunkt, d. h. das Licht für seine Aufnahmen. Streiflicht, so hat er selbst bemerkt, macht fast jedes Motiv lebendig.[5] So hat er den jeweils günstigsten Sonnenstand mit Kompaß und Uhr ermittelt. Es ist deshalb lohnend, seine Aufnahmen einmal nur auf die Verteilung der Schatten hin anzusehen. Ohne gute Schatten wäre etwa die Rückseite des Dammühlengebäudes (Abb. S. 43) leicht nur Hintergrundstaffage geworden. Die Tiefe eines Bildes ist die Summe seiner Grauabstufungen. Nur durch eine günstige Schattenverteilung erreicht der Photograph diese Tiefe. Lange Perspektiven (wie z. B. auf S. 74) wären sonst nicht mehr zu erkennen. In der Aufnahme auf Seite 108 ist die

Verteilung der Schatten zum Thema geworden, entsprechend den Linien der Bürgersteige, der Straßenbahnschienen und der Bebauung. Die Dichte des Bildes entsteht durch das Liniengeflecht. Um 1900 wäre dieses Motiv noch nicht denkbar gewesen, da die Verteilung der Schatten und

Abb. 4
Werbeprospekt

die Linienstruktur nur als Hilfsmittel angesehen wurden. Es ist aber deutlich, wie sehr sich Titzenthaler von Anfang an Mühe gegeben hat, seine Bilder zu gliedern, ihnen Form und Tiefe zu geben. Der Unterschied zwischen den beiden Aufnahmen vom Spittelmarkt (S. 38 u. 39) liegt nicht so sehr in der Veränderung der Bebauung oder der unterschiedlichen Verkehrssituation, sondern darin, daß in der späteren Aufnahme der »richtige« Aufnahmeort gewählt ist: Das horizontal gegliederte Bild erhält sein Leben aus den sich schneidenden Bewegungsrichtungen. Die frühere Aufnahme zeigt dieselben Richtungen, ist aber unübersichtlich aufgebaut, weil die tragende horizontale Gliederung fehlt. Als Beispiel eines einfachen, aber völlig überzeugenden Bildaufbaues sei noch auf die Aufnahme vom Leipziger Platz verwiesen (S. 82): Die in die Tiefe gehende Straße wird von den Grünanlagen flankiert, was eine horizontale Gliederung ergibt, die drei westlichen Achteckseiten des Platzes »überkuppeln« alles (die Aufnahme ist übrigens vom Dach des Kaufhauses Wertheim aus gemacht worden).

Ein ansprechend aufgebautes Bild kann immer noch starr, »tot« erscheinen. In den meisten Fällen hat Titzenthaler versucht, seinen Bildern Leben zu geben, indem er Menschen mit aufnahm. Ihre Bewegungen, Blickrichtungen und Gebärden vermitteln den Eindruck von Benutzung, von Wohnen und Handhaben. Bei den Aufnahmen von Alt-Berlin schauen die Bewohner fast immer aus den Fenstern oder sind zu Gruppen arrangiert. Man könnte darin eine Fortsetzung der Dramaturgie sehen, die beim Familienporträt üblich war; es wird aber so gewesen sein, daß die Anwesenheit des Photographen an sich schon Aufmerksamkeit genug erregte, so daß immer Statisten zur Verfügung standen, die sich gern photographieren ließen.[6] Jedes öffentliche Ereignis hatte und hat ja seine Zuschauer, wie z. B. das eigentlich bekannte Spektakel der auf- und abziehenden Wacheinheiten Unter den Linden (S. 57, ähnlich S. 56). Diese Zuschauer hat Titzenthaler immer wieder in seine Aufnahmen eingebaut, ebenso wie die Fahrzeuge des Straßenverkehrs. Durch sie werden die Bilder lebendig, so wie ein Sturm einer Allee Leben geben kann, die sonst starre Dekoration zu sein scheint (ein solches Beispiel zeigt und erläutert er in seinem Wanderbuch).

Wieder ist es vor allem die Sorgfalt, die Titzenthalers Aufnahmen bemerkenswert macht. Fast jede Postkarte der Zeit enthält eingeklebte oder einkopierte Menschen und Fahrzeuge, auch für Bücher werden Photos so »verbessert«. Das schon genannte Bild vom Leipziger Platz (S. 82) schien dem Globus-Verlag offensichtlich zu »einseitig« zu sein, der Verkehr findet überwiegend auf der linken Straßenseite statt; also wurden auf der rechten Seite nicht nur eine Reihe von Passanten »eingebaut«, sondern gleich noch eine ganze Straßenbahn hinzugefügt. Das Bild wird dadurch nicht einmal »falsch«, der Zufall hätte auch diese Situation schaffen können. Dem Bild seine zufällige, damit auch dokumentarische Unausgeglichenheit zu lassen, widersprach aber der Vorstellung vom ausgewogenen Bild, das keine Leerstellen zeigen durfte. Damit ist noch etwas gesagt zur Rolle der Menschen in Titzenthalers Bildern: Sie wurden wegretuschiert und ergänzt, wie es der Vorstellung vom guten Bild entsprach; dadurch werden sie zur »lebenden Staffage«, auf ihre Lebendigkeit kann nicht verzichtet werden. Sie sind jedoch nicht Thema der Stadtaufnahmen.

BILDGATTUNGEN

Es gibt natürlich auch bei Titzenthaler die Gebäudeaufnahmen, die schon erwähnten »Ansichten«, bei denen dokumentarisch einseitig auf korrekte Wiedergabe geachtet und das »tote« Bild geradezu angestrebt wird. Viele Aufnahmen dieser Art dienten wohl der Vervollständigung seines Archivs, in dem die bekanntesten Gebäude Berlins vorhanden und im Bedarfsfall schnell zur Hand sein mußten. Zu diesem »Pflichtteil« sind vielleicht auch seine Panoramen zu rechnen. Aus langer malerischer Tradition stammend, hatten die Panoramen außerordentlich blickprägend

Abb. 5
Werbeprospekt

gewirkt und waren für die Photographen eine so selbstverständliche Bildform wie für ihr Publikum. Das Großformat seines Panoramas von Schloß, Dom und Museen zeigt nicht zuletzt Titzenthalers Ehrgeiz, immer perfekte Bilder anbieten zu können.

Max Osborn spricht in seinem Buch »Das malerische Berlin« die »stillen Winkel« der Altstadt an. Von Titzenthalers Suche nach »verborgenen Idyllen« war schon die Rede. Seine Aufnahmen aus dem Krögel, den Hinterhöfen der Stralauer Straße und der Fischerinsel sind also nicht sozialkritisch gemeint. Daß es sich um Armutsviertel handelte, war klar; die Armut war aber nicht das Thema seiner Bilder. Was ihn an den Alt-Berliner Motiven reizte, war vielleicht auch die Struktur: der fehlende Putz, herumliegende Materialien, der unkontrollierte Pflanzenwuchs, die vielen Schuppenanbauten, womöglich in Fachwerk. Den Haupteffekt machten der unübersichtliche Grundriß, wodurch Blickrichtungen verstellt wurden, und die fehlende Distanz. Im großstädtischen Berlin konnte man immer ein paar Schritte zurücktreten; hier war man von Bauten und Bewohnern umkreist und mußte mit ihnen kommunizieren. Nicht zufällig hat Titzenthaler gerade hier Szenen gestellt, die auf eine stille Weise außerordentlich theatralisch wirken.

Ganz anders erscheinen die Aufnahmen von dem, was wir heute »Freizeitaktivitäten« nennen würden: promenierende Bürger auf der Siegesallee, spielende Kinder auf dem Bayerischen Platz oder an der Granitschale vor dem Schloß. Die durchaus zufällige Verteilung der Gruppen wirkt lässig, die herausgestellten Einzelmotive (Kind mit Kinderwagen, S. 105) sind harmlos und sprechen das Herz an. Idyllisches spielt auch hinein, wenn von bekannten Gegenden Aufnahmen mit viel Grün gemacht werden (Alexanderplatz, S. 46); auch dies hat Titzenthaler 1918 ja ausdrücklich empfohlen.

Damit ist schon das Prinzip der Landschaftsaufnahme angesprochen, wobei einfaches »Abknipsen« nicht in Frage kommt. Titzenthaler gibt sich zwar durchaus Mühe, das Besondere etwa der märkischen Landschaft zu erfassen, vor allem ihre Kargheit. Ihre Leblosigkeit steht aber dem gestalterischen Willen des Photographen entgegen; dem muß abgeholfen werden. Titzenthaler empfiehlt die Birke und schräges Sonnenlicht als Gliederungsmittel; er selbst benutzt auch Spaziergänger, Gewässer (auch mit Schiffen, S. 110), weisende Betrachter, auch einzeln stehende Gebäude – das Bild darf nur nicht steif und flach werden.

Wenn ein aktuelles Geschehen aufgenommen wird, müssen sich alle seine Bildmittel den Bedingungen am Ort anpassen. Man sieht es dem Photo von der Feuerwehrübung (S. 107) deutlich an, daß er sich Ort und Zeitpunkt der Aufnahme nicht aussuchen konnte. Das Bild war jedenfalls für die Presse gedacht, wahrscheinlich die »Berliner Illustrirte Zeitung«. Außer solchen Einzelphotos hat er auch viele Bildserien an Ullstein verkauft, im Jahre 1897 z. B. vom städtischen Schlachthof, aus der Berliner Arbeiterkolonie in Lichtenberg und eine Folge von Manöverbildern. Beim Ullstein-Bilderdienst befinden sich noch etwa 200 seiner Pressephotos aus der Zeit von 1897 bis zum Ende der 20er Jahre.

Waldemar Titzenthalers Sohn Eckart berichtete 1968 von Porträtaufnahmen am Arbeitsplatz, die sein Vater angefertigt habe. Vier dieser Aufnahmen sind überraschenderweise in den USA aufgetaucht.[7] Es sind »Berufs-Porträts«: Werkzeuge und Kleidung bestimmen die Charaktere der Personen wie der ganzen Aufnahmen. Titzenthaler scheint sie aus eigenem Interesse photographiert zu haben, ohne an eine Publikation zu denken; jedenfalls haben auch wir keine weiteren Beispiele dieser Art gefunden.

Zu registrieren wären hier noch zwei »Kunstphotos«: Schauerleute in einem Lokal in Hamburg und ein Nieter bei der Arbeit in einer Großröhre.[8] Auch von seinen Postkarten – die er offenbar selbst verlegt hat – sind uns nur zwei Beispiele bekannt geworden, von den Photos aus Industriebetrieben ist bisher überhaupt keins aufgetaucht.

Woran kann man ein Photo Waldemar Titzenthalers erkennen? Die im allgemeinen sehr sorgfältige Herstellung wurde oben schon angesprochen, ist aber auch bei anderen Photographen mehr oder weniger selbstverständlich. Von der nächstälteren Generation (z. B. Albert Schwartz) unterscheidet sich Titzenthaler vor allem durch die Lebendigkeit oder Belebtheit der Aufnahmen, von der nächstfolgenden (z. B. August Sander) durch die traditionelle Bildhaftigkeit. Letztere ist vielleicht überhaupt das Besondere bei Titzenthaler, auch im Vergleich zu seinen gleichaltrigen Kollegen (z. B. Max Missmann, mit dessen Aufnahmen im allgemeinen leicht Verwechslungen möglich sind). Sichere Zuschreibungen ermöglicht nur das Warenzeichen Titzenthalers (vgl. seine Werbekarten), das sich auch in schlechter Wiedergabe praktisch immer erkennen läßt, für die Publikation aber damals meist wegretuschiert wurde.

Zum Bestand der Landesbildstelle gehört auch ein Vorlage- oder »Musterbuch« Titzenthalers, das er seinen Kunden präsentiert haben wird, um seinen weitgefächerten Bestand und die Vielfalt seiner Themen zu demonstrieren, auch wohl, um die wichtigsten Objekte immer vorzeigen zu können. Er spekulierte damit auf Käuferinteressen, die wir heute nur noch vermuten können. Die meist thematisch gegliederten Blätter zeigen Ansichten des kaiserlichen Berlin (darunter eine Variante des großen Panoramas), aus Charlottenburg und Alt-Berlin, Straßenszenen,

Abb. 6
Feier der 20 000. Aufnahme im Geschäftszimmer des Ateliers Leipziger Straße 105, 22. März 1907. Rechts Waldemar Titzenthaler, links von ihm seine mitarbeitende Frau Olga. Stehend (mit Kneifer): Edgar Titzenthaler; die links sitzende ältere Dame ist Waldemar Titzenthalers Mutter mit ihren Töchtern Valeria, Alice und Hermanna (v. l.).

Kasernenleben, Denkmäler, Museumsaufnahmen, Stimmungsbilder und ähnliches. Die gezeigten Objekte scheinen im Bilderbetrieb der Zeit eine wichtige Rolle gespielt zu haben. Daher sind sie auch für die Auswahl der Photographien in diesem Buch so bestimmend gewesen.

STADTGESCHICHTE IM BILD

Waldemar Titzenthaler gehört nicht wie etwa Eugène Atget (1856–1927), der um die Jahrhundertwende die Stadt Paris photographierte, zu den Photographen, die sich einer systematischen Bestandsaufnahme gewidmet haben. Aber auch in seinen Stadtphotos, von denen hier nur ein Teil gezeigt werden kann, ist etwas zu spüren von der Photographie als »bildhafter Manifestation des Vergänglichen«, die »nachdrücklich auf das Transitorische der Wirklichkeit« verweist.[9]

Daher sind seine Aufnahmen für uns auch nicht in erster Linie als ein Teil der Photogeschichte interessant, sondern vor allem deshalb, weil sie eine Fundgrube für jeden darstellen, der die Geschichte Berlins studieren will. Wie einmal der Krögel und die Fischerinsel, die Friedrichsgracht und die Mühlendammbrücke, wie der Alexanderplatz, der Leipziger und der Pariser Platz ausgesehen haben, das wissen wir genau nur noch aus Zeugnissen wie diesen, die das Bild der Stadt in seinen verschiedenen Schichten aufbewahrt haben. Wer diese Quellen zu lesen versteht, kann in ihnen graben wie der Archäologe in der Erde. Das Photo, das Titzenthaler von den Königskolonnaden kurz vor ihrem Abriß gemacht hat, ist dafür ein besonders gutes Beispiel. Das auf den ersten Blick so wenig plausible städtebauliche Ensemble versteht man nur, wenn man sich die Entwicklung Berlins an dieser Stelle in die Erinnerung zurückruft: Hier war einmal der Eingang in die preußische Residenz von Osten her, und Friedrich der Große hatte ihm mit dem Bau der Kolonnaden einen besonderen architektonischen Akzent gegeben – was zur Zeit der Aufnahme nur noch schwer zu erkennen war. Auch warum die Hochbahn gerade an dieser Stelle die Königstraße kreuzt, wird nur dem klar, der weiß, daß die Bahn und der Bahnhof Alexanderplatz, der links hinter den Kolonnaden aufragt, auf der Trasse des alten Festungsgrabens erbaut sind, dessen Zuschüttung erst Platz dafür schuf – so wie in anderen Städten die Ringstraßen auf den Trassen der geschleiften Stadtbefestigungen angelegt wurden. Der Übergang zur nächsten Stadtbildphase deutet sich aber auch schon in dem Photo an: Die Baulücke rechts im Bild verweist auf das Kaufhaus Wertheim, das bald hier stehen soll. Ihm und der Verbreiterung der Straße für den wachsenden Verkehr mußten ein Jahr später auch die Kolonnaden weichen. Im Schöneberger Heinrich-von-Kleist-Park, wo sie seitdem stehen, sieht ihnen nun niemand mehr an, welche Funktion sie einmal in der Stadt hatten.

Die Auswahl der Photos in diesem Buch soll auch zu solcher historischen Lektüre reizen. Sie besteht aus Aufnahmen, die sowohl für Titzenthalers Stadtphotographie als auch für das Bild Berlins zwischen der Jahrhundertwende und dem Ersten Weltkrieg repräsentativ sind. Damit die Zusammenhänge zwischen den Photos, die heute in der gewandelten Stadtlandschaft größtenteils nicht mehr nacherlebbar sind, dennoch etwas deutlicher werden, ist die Reihenfolge der Aufnahmen einem Rundgang durch die Stadt angenähert. Er beginnt in den alten Teilen Berlins und Köllns, um den Molkenmarkt und auf der Fischerinsel. Das Stadthaus und die Nikolaikirche sind nach dem Zweiten Weltkrieg wiederhergestellt worden, und um die Nikolaikirche herum ist in jüngster Zeit ein frei nachempfundenes »Alt-Berlin« entstanden. Schon um 1900 war »Alt-Berlin« zu einer Attraktion geworden, die auf Postkarten käuflich war. Die heute hier vorgetäuschte Ähnlichkeit mit der Stadt, die Titzenthaler photographiert hat, löst sich allerdings schnell auf, wenn man zur Fischerinsel hinübergeht. Den städtebaulichen Idealen folgend, die nach dem Zweiten Weltkrieg auch im Westen Europas gültig waren, wurde seit 1965 auf der südlichen Fischerinsel eine Hochhausbebauung aus »Scheibenhäusern« und Grünstreifen errichtet, die das alte Straßensystem auflöste; dieser Planung fiel auch die Ruine der Petrikirche 1960 zum Opfer. Lediglich an der Gertraudenbrücke blieb ein Rest der alten Bebauung erhalten.

An den Hauptgeschäftsstraßen der Altstadt sind außer dem Rathaus nur noch wenige Gebäude der Vorkriegszeit vorhanden. Der Alexanderplatz und die Gegend um die Marienkirche wurden völlig umgestaltet. Dabei blieben am Alexanderplatz die beiden Bürohäuser von Peter Behrens (um 1930) erhalten; auf den neuen Platz zwischen Marienkirche und Rathaus wurde der Neptunbrunnen vom Schloßplatz versetzt. Der ehemalige städtebauliche Charakter ist damit ganz verändert worden, denn vor dem Rathaus hat es früher keinen Platz gegeben, und der Alexanderplatz von heute ist infolge seiner Endlosigkeit kein eigentlicher Platz mehr.

Das repräsentative kaiserliche Berlin ließ sich früher etwa zwischen Schloß und Brandenburger Tor lokalisieren. Aus politischen Gründen wurde das zum Teil zerstörte Schloß 1950 gegen den Willen der Bevölkerung und der Fachöffentlichkeit gesprengt; sein Nachfolger im doppelten Sinne wurde der Palast der Republik (1973–1976). 1961 wurde die beschädigte Bauakademie am Schinkelplatz beseitigt, damit dort 1964–1967 das Außenministerium der DDR errichtet werden konnte.

Während die Promenierstraße Unter den Linden ihren Charakter – zumindest im östlichen Teil – wenig verändert hat, bieten Friedrich- und vor allem Leipziger Straße ein völlig gewandeltes Bild: Der östliche Teil der stark verbreiterten Leipziger Straße ist mit Wohnhochhäusern bebaut, ähnlich wie die Fischerinsel. Der westlich der Friedrichstraße gelegene Teil und diese selbst südlich der Linden bieten noch immer ein Bild der Kriegszerstörung, das man erst jetzt Stück für Stück zu beseitigen beginnt. Das hier gelegene Haus Leipziger Straße 105, in dem Titzenthalers erstes Atelier war, ist kriegszerstört wie das Gebäude Friedrichstraße 242, kurz vor dem Mehringplatz, wohin Titzenthaler 1910 gezogen war. Die Leipziger Straße hat also ihren ehemaligen Charakter völlig verloren, denn sie lebte mehr als vom Verkehr durch die zahllosen Geschäfte, Kaufhäuser und Restaurants. Man muß sie sich als Inbegriff einer Großstadtstraße denken.

Einige der am Ende folgenden Aufnahmen zeigen Motive aus dem Tiergarten. Sieges- und Friedensallee gibt es nicht mehr, die Siegessäule wurde 1939, um ein Geschoß erhöht, auf den Großen Stern versetzt, um der von Albert Speer ausgebauten Ost-West-Achse einen adäquaten Akzent zu geben.

Manche Gewohnheit ist allerdings zählebig: Der Kahnverleih am Neuen See im Tiergarten hat seinen Ort nicht gewechselt.

ANMERKUNGEN

1) 50 Jahre Ullstein. Berlin 1927, S. 288.

2) Photographische Chronik. Berlin 1908, S. 161–162.

3) Berlin und die Mark, S. 16 ff. Dort auch alle weiteren Zitate.

4) Berlin, Schicksal einer Weltstadt. München 1958, S. 19.

5) Berlin und die Mark, S. 22/24.

6) Der Berliner Photograph Hoeffke, der noch von Titzenthaler geprüft worden ist, berichtet, daß im Krögel eine alte Frau, die »Krögel-Rieke«, stets bereitstand, um gegen ein Trinkgeld für die Photographen, die damals dort ihre Aufnahmen machten, zu posieren.

7) Abgebildet bei August Sander: Menschen des 20. Jahrhunderts (hrsg. von Gunther Sander). München 1980, S. 35.

8) Abgebildet in: Das deutsche Lichtbild. Berlin 1928/29, S. 23 und 59.

9) Klaus Honnef: 150 Jahre Fotografie. Mainz 1977, S. 251.

Am Krögel, Molkenmarkt 3, Stralauer Straße 32, Hof

Kurz vor der Jahrhundertwende wurde der Plan des Abrisses der Gebäude an der Gasse Am Krögel bekannt. Waldemar Titzenthaler photographierte daraufhin Gasse und Höfe. Der Ausbruch des Ersten Weltkrieges verhinderte den Abriß, der dann erst 1935, im Zusammenhang mit dem Schleusenneubau, erfolgte. Die schmale Krögelgasse führte zu einem Schiffsanlegeplatz an einer Ausbuchtung der Spree. In der Gasse lag im Mittelalter die Badestube, die im Berliner Stadtbuch aus der Zeit um 1390 »Krouwelstovhe« genannt wird.
Photo: 1897

Lindenstraße 85
Ecke Junkerstraße in Kreuzberg, Hof.
Photo: 1910

Burgstraße 11–17

Hof des Hotels »König von Portugal«. Das Hotel mit den Hofgalerien lag in der Nähe des Zentrums
der Berliner Altstadt an der Spree, dem Schloß gegenüber. In diesen Gasthof, der im 18. Jahrhundert als
vornehm galt, verlegte Gotthold Ephraim Lessing den Schauplatz des ersten deutschen Lustspiels
»Minna von Barnhelm«, 1763.
Photo: 1910

Hofidylle in Alt-Berlin
Photo: 1907

Am Krögel

Durchgang vom ersten Hof (im Vordergrund) zum zweiten Hof. An der Rückseite des Zwischenbaues
befand sich Berlins bekannteste Sonnenuhr mit der Inschrift: »Mors certa, hora incerta«,
was übersetzt heißt: »Der Tod ist gewiß, seine Stunde aber ungewiß«. Der Berliner Volksmund übersetzte
die lateinischen Worte: »Die Uhr geht sicher nicht richtig«, oder: »Todsicher geht die Uhr ungenau«.
Photo: 1908

Nikolaikirchplatz 6–9
Blick in die Höfe.
Photo: 1907

Spreegasse
Seit 1931 Sperlingsgasse, Höfe.
Photo: 1908

Fischerstraße 28, Hof

Die Fischerstraße war eine der ältesten Straßen Köllns. Sie verband den Köllnischen Fischmarkt mit der Friedrichsgracht. Die heute nicht mehr existierende Straße besaß noch teilweise ein geschlossenes altstädtisches Straßenbild. Die nach dem Zweiten Weltkrieg erhaltenen Häuser wurden Ende der sechziger Jahre abgerissen. Das Photo zeigt den Hof eines der bekanntesten Häuser, des sogenannten »Blütchenhauses«. In das Giebelhaus war 1819 die Firma W. Blütchen & Söhne, Jutespinnerei und -weberei in Vetschau (Spreewald) gezogen. Das Haus wurde während des Zweiten Weltkrieges zerstört. Photo: 1907

Krögelgasse mit Höfen (rechts) und der Stadtvogtei (links)

Im Hintergrund sind die Türme der Marienkirche, des Rathauses und die Schornsteine des
Elektrizitätswerkes an der Rathausstraße zu erkennen. Der Uhrenturm in der Bildmitte gehört zu einer
Kaufhauszeile, die 1899–1900 an der Spandauer Straße Ecke Eiergasse erbaut wurde. In der Krögelgasse
ließ Wilhelm Raabe seinen »Hungerpastor Hans Unwirrsch« aufwachsen.
Photo: 1903

Scharrenstraße 1–6
Zwischen Breite Straße und Brüderstraße, vor dem Abriß der Häuser Nr. 5 und 6.
Photo: 1908

Fischerstraße 21, Ecke Köllnische Straße, Restaurant »Zum Nußbaum«

Das Giebelhaus war eines der ältesten Häuser in Alt-Kölln; auf dem Kellerhals stand die Jahreszahl 1507.
Benannt ist das Restaurant nach dem Walnußbaum im Vorgarten. Heinrich Zille war hier Stammgast.
Durch seine Zeichnungen wurde die »Kneipe« weltbekannt. Während des Zweiten Weltkrieges wurde das
Haus zerstört und 1986 an der Nikolaikirche rekonstruiert.
Photo: 1903

Parochialstraße 19–23
Photo: um 1917

24

Parochialstraße 27–30

Die Parochialstraße bestand ursprünglich aus drei Teilen, der Reezen-, Kronen- und Parochialkirchgasse.
1862 erfolgte die einheitliche Namensgebung. Die schmalen Häuser, sogenannte »Handtücher«,
waren Fachwerkbauten auf Feldsteinfundamenten mit teilweise barocken Fassaden.
Photo: um 1917

Stralauer Straße, Spreeseite

An der Ausfallstraße nach Stralau siedelten sich Handwerks- und Kleingewerbebetriebe wie Gerbereien,
Tischlereien, Schlossereien oder Schmieden an. Die Aufnahme wurde von der Ladestraße vor dem
Inselspeicher, an der Straße An der Fischerbrücke, aus aufgenommen.
Photo: 1909

Waisenbrücke

Vor und hinter der 1892–1894 erbauten Brücke lagen die Flußbadeanstalten für Frauen und Männer.
Der Zugang erfolgte von der Straße An der Stralauer Brücke her (rechts). An der Jannowitzbrücke, mit der
Stadtbahn erreichbar (Gleise im Vordergrund), befanden sich die Dampferanlegestellen für
Ausflugsfahrten auf der Spree. Rechts der Brücke steht die Waisenhauskirche. Sie war integriert in das
Waisenhaus, das ehemalige Friedrichshospital, dessen Bau 1697 durch Martin Grünberg begann
und ab 1709 durch Philipp Gerlach fortgesetzt wurde. Gerlach errichtete die Kirche und den Glockenturm,
dessen Aufbau 1782 bereits wieder abgerissen werden mußte.
Photo: 1904

Stralauer Straße 53, Spreeseite
Photo: 1910

Stralauer Straße 52, Spreeseite

Zugang der Firma Robert Reichelt zur Spree. Diese Verbindungen zur Wasserstraße waren
ausschlaggebend für die Ansiedlung von Handwerksbetrieben und der Kleinindustrie.
Photo: 1910

An der Friedrichsgracht 33–41

Das Photo entstand vom Dach des Geschäftshauses an der Wallstraße 95–97 aus. Es zeigt die Gracht
zwischen Grünstraßenbrücke und Gertraudenbrücke. Als der Große Kurfürst mit Hilfe holländischer
Facharbeiter Befestigungsanlagen anlegen ließ, wurde die Spree neu kanalisiert. 1681 entstand
die Friedrichsgracht als Uferstraße. Die Wohnhausbebauung begann am Ende des 17. Jahrhunderts.
Charakteristisch für die Straße sind die Kellerhälse (vorgebaute Kellereingänge). Im Hintergrund überragt
der Turm der Petrikirche die Dächer der Köllner Altstadt.
Photo: 1907

An der Friedrichsgracht 2–16

Von Neu-Kölln am Wasser, dem späteren Märkischen Ufer aus.
Die Häuser links der Fischerstraße Nr. 12–16 (in der linken Bildhälfte) wurden erst 1971 abgebrochen.
Photo: 1901

Spree (Spree- oder Schleusenkanal) und Jungfernbrücke

Das Photo zeigt links die Unterwasserstraße und rechts die Straße An der Schleuse sowie den Beginn
der Friedrichsgracht. Rechts der Jungfernbrücke geht die Spreegasse ab, die am 8.9.1931, dem hundertsten
Geburtstag Wilhelm Raabes, in Sperlingsgasse umgetauft wurde. Daneben sieht man in die Sackgasse
Am Mühlengraben. Hier befanden sich einst die Werderschen Mühlen und später Waschbänke. Der
Fachwerkturm am Einfluß des Mühlengrabens gehört zum Eingangsgebäude der am 25.5.1897 eröffneten
und 1925 geschlossenen Flußbadeanstalt. An der Unterwasserstraße (im Hintergrund links), vor der
Reklamewand Hermann Gerson, steht das Gebäude der 1868–1871 errichteten Münze. Die Regulierung des
Wasserstandes im Spreekanal erfolgte durch die Schleuse (im Hintergrund). Alle auf dem Photo sichtbaren
Bauten, bis auf die Jungfernbrücke, stehen nicht mehr.
Photo: 1909

An der Friedrichsgracht 61–56 mit Jungfernbrücke

Die Zugbrücke zwischen der Friedrichsgracht und der Unterwasserstraße wurde 1798 erbaut. Sie ist die
älteste Brücke Berlins. Das Photo vermittelt einen Eindruck von der unterschiedlichen Bebauung der
Friedrichsgracht mit Häusern des 17.–19. Jahrhunderts. Die Nutzung erfolgte zum überwiegenden Teil
durch Handwerksbetriebe. Das erste vollständig sichtbare Haus von rechts (Nr. 57) ist das Schindlersche
Waisenhaus, das 1812 dieses Gebäude erbte. Im Hintergrund überragt der Turm der Petrikirche die meist
zweistöckigen Gebäude.
Photo: 1909

Grünstraße, Grünstraßenbrücke und An der Friedrichsgracht 32–38

Das Photo zeigt die Grünstraßenbrücke noch als hölzerne Klappbrücke mit einer mittleren Durchfahrt
und zwei Klappen. 1905 wurde die 1699 erbaute Brücke durch einen Neubau ersetzt.
Die Petrikirche am Ende der Grünstraße wurde 1846–1853 nach Plänen des Architekten Heinrich Strack
erbaut. Der Turm der neugotischen Kirche war mit 96,4m der höchste Berlins.
Photo: 1903

Ephraim-Palais, Poststraße 16 Ecke Mühlendamm

Das Haus, eines der prachtvollsten Palais aus der Zeit Friedrich des Großen, wurde 1762–1765 nach einem
Entwurf von Friedrich Wilhelm Diterichs für den Hofjuwelier und Münzpächter Veitel Heine Ephraim
erbaut. Zur Verbreiterung des Mühlendammes wurde es 1935 abgerissen (die Fassadenteile wurden
magaziniert) und 1985–1987 an alter Stelle, etwas zurückversetzt, rekonstruiert.
Photo: 1913

Gendarmenmarkt, seit 1950 Platz der Akademie

Der ehemalige Friedrichstädtische Markt entstand im Zuge der Anlage der Friedrichstadt 1688 durch Kurfürst Friedrich III., den späteren ersten Preußenkönig. Unter König Friedrich I. entstand auf dem Platz, nach Entwürfen der französischen Architekten Louis Cayart und Quesnay, der barocke Bau der Französisch-reformierten Friedrichstadt-Kirche, 1701–1705 (rechts). In der gleichen Zeit, 1701–1708, wurde für die lutherische und reformierte Gemeinde, nach Entwürfen Martin Grünbergs, die Deutsche Kirche errichtet. Beide Bauten zeigten die Formen des protestantischen Zentralbaus. Um ein wirkungsvolles Stadtbild zu schaffen, ließ Friedrich II. vor die einfache Architektur der Kirchen Kuppelbauten, nach dem Vorbild der beiden Marienkirchen auf der Piazza del Popolo in Rom, setzen. Die effektvollen Bauten mit ihren Säulenordnungen und Giebeln entstanden nach Entwürfen der Architekten Karl von Gontard und Georg Christian Unger, 1780–1785.
Photo: um 1900

Schauspielhaus am Gendarmenmarkt

Das Schauspielhaus ist eines der Hauptwerke des deutschen Klassizismus. Der Standort war durch den Theaterbau Friedrich des Großen vorgegeben. Als dieses Gebäude zu klein war, folgte 1802 der Neubau eines »National-Theaters«, das 1817 abbrannte. Karl Friedrich Schinkel hatte die Aufgabe, die Grundmauern und die ionischen Säulen in den Neubau miteinzubeziehen. 1821 wurde das Königliche Schauspielhaus mit Goethes »Iphigenie auf Tauris« eröffnet. Das Photo zeigt den Platz mit der gärtnerischen Gestaltung durch Hermann Mächtig, 1889, und dem 1871 aufgestellten Schillerdenkmal von Reinhold Begas. Die Grünanlagen wurden 1920 vereinfacht und 1935 der Mittelteil des Platzes, Schillerplatz genannt, gepflastert.
Photo: 1910

Spittelmarkt

Der Spittelmarkt war ein Zentrum des Berliner Geschäftslebens zwischen der Leipziger Straße und der Gertraudenstraße. Im Hintergrund führt die Straße zur Gertraudenbrücke, links gehen die Kur- und Niederwallstraße ab. Die Einmündung der Wallstraße (rechts) ist mit einer Schmuckanlage versehen, deren Mittelpunkt der 1891 von Carl Spindler gestiftete sogenannte Spindlerbrunnen bildet. Der Volksmund nannte den Brunnen, in Anspielung auf den rötlich-braunen schwedischen Granit, »Schokoladenbrunnen«. Der Brunnen wurde 1981 wiedererrichtet.
Photo: 1899

Spittelmarkt

Der Spittelmarkt erhielt seinen Namen nach der 1405 gegründeten Gertraudenkapelle und dem gleichnamigen Hospital. Die Aufnahme zeigt im Unterschied zur vorhergehenden Aufnahme, wie die Straßenmöbel modernisiert worden sind sowie die bauliche Veränderung an der Ecke Niederwallstraße. Das Wohn- und Geschäftshaus mußte für den Bau der U-Bahnstrecke Leipziger Platz – Alexanderplatz abgerissen werden. Als Provisorium entstand das Eckhaus mit der Betonung durch einen Kuppelbau.
Photo: 1909

Gertraudenstraße 4–7, Petriplatz 1–3

Mit dieser Aufnahme dokumentiert Titzenthaler den Abriß des »Alten Berlin«. An Stelle der Freifläche
stand ursprünglich die Köllnische Ratswaage. Das historische Gebäude mußte dem Bau eines
Geschäftshauses weichen.
Photo: 1901

Spittelmarkt, Gertraudenstraße

Das Photo entstand von einem Erker in der zweiten Etage des
Hauses Spittelmarkt 11, Ecke Kurstraße aus. Es zeigt den Blick über die
Gertraudenbrücke bis zur Petrikirche.
Photo: 1901

Mühlendamm mit Dammühlengebäude

Der Mühlendamm ist die älteste Verbindung zwischen Kölln und Berlin. Der »Molendam tu Berlin«
wird in einer Urkunde vom 28. September 1298 zum ersten Mal erwähnt. Bis zum Bau der Schleuse 1893
befand sich an dieser Stelle ein Stau, der seit der Gründung der Städte Berlin und Kölln die Wassermühlen
antrieb. Die einzige direkte Schiffahrtsverbindung zwischen der Ober- und der Unterspree führte bis zu
dieser Zeit durch den Spree- oder Schleusenkanal. Die Brücke wurde von 1889–1893 umgestaltet.
Es entstanden die Schleusenkammer und 1892–1893 das Verwaltungsgebäude der städtischen Sparkasse,
nach Entwürfen von Hermann Blankenstein. Für die »Neugestaltung Berlins« wurden Brücke und
Dammühlengebäude 1935 abgerissen.
Photo: 1902

Spree und Dammühlengebäude

Das Photo entstand von der Kurfürstenbrücke aus. Links verläuft die Burgstraße, rechts ist die Wasserseite
des 1896–1901 erbauten Marstalles erkennbar. Die Mühlendammanlage ist eine sehr komplizierte
Konstruktion. Sie bestand, unter Einschluß der Fischerbrücke, aus insgesamt sieben Brücken. Sichtbar sind
von links nach rechts die Kammerschleuse, das Turbinengebäude, das »Kleine Gerinne«, das durch den
Halbbogen im Mühlendammgebäude floß, und das »Große Gerinne«. Vor dem Gebäude verläuft die
Mühlenwegbrücke, die im Zuge des Mühlenweges die Breite Straße mit der Burgstraße verband. Vor der
Brücke befindet sich das Stauwehr.
Photo: 1909

Königstraße

Die Aufnahme entstand vom Eckhaus Königstraße 30, Ecke Neue Friedrichstraße, aus. Titzenthaler photographierte ein historisches Stadtensemble kurz vor dem Abriß. Um die Situation zu verdeutlichen, wertete er die Abtragung des Hauses Königstraße 31 ab. Zu sehen sind die Königskolonnaden in der Königstraße. Sie waren 1777 mit der Königsbrücke, die den Festungsgraben überspannte, nach einem Entwurf Karl von Gontards entstanden. Durch die Kolonnaden gab Friedrich II. dem Eingang in die preußische Residenz von Osten her eine besondere architektonische Note. So wurde die Zufahrt zum Schloß aufgewertet und für die Geschäftsleute entstanden Läden in den Kolonnaden. Auf dem Photo ist im Hintergrund der Alexanderplatz zu erkennen. Der Bahnhof Alexanderplatz entstand auf dem Gelände des ehemaligen Festungsgrabens, bei dessen Zuschüttung die Brücke bereits abgerissen worden war.
Um die Straße zu verbreitern und um das Kaufhaus Wertheim zu errichten (erbaut 1910–1911), wurden die Kolonnaden 1910 abgetragen und in den Heinrich-von-Kleist-Park in Schöneberg versetzt.
Photo: 1909

Molkenstraße, vom Molkenmarkt

Der Blick geht in die Molkenstraße bis zur sogenannten »Molkenritze«, einem Durchgang zum Nikolaikirchplatz. Die Türme der Nikolaikirche entstanden 1878 nach einem Entwurf des Stadtbaurates Hermann Blankenstein. Am Eckhaus Molkenmarkt 13 erkennt man Schulterblatt und Rippe eines Wales, von denen die Sage berichtet, daß sie von dem Riesen Rolbert aus den Müggelbergen stammen. Schulterblatt und Rippe sind heute als Ausstellungsstücke im Märkischen Museum zu besichtigen. An einem 1986 am Molkenmarkt eröffneten Gasthaus befinden sich Kopien.
Photo: 1903

Alexanderplatz

Das Photo entstand aus dem Polizeipräsidium heraus. Es zeigt die etwa 1890, nach Plänen Hermann Mächtigs, entstandenen Schmuckanlagen und die Einmündung der Alexanderstraße, der späteren Memhard(t)straße (im Hintergrund). Der Platz hieß ursprünglich Auf der Contreescarpe, Paradeplatz und Ochsenmarkt. Als 1805 der russische Zar Alexander I. den preußischen König Friedrich Wilhelm III. besuchte, erhielt er zu Ehren des Gastes den heutigen Namen. An der rechten Seite steht das in Neorenaissanceformen 1885 nach Plänen von Holst und Zaar erbaute Grand Hotel. Die linke Platzseite beherrscht das 1904–1905 erbaute Warenhaus Tietz. Das später erweiterte Haus entwarf die Architektengemeinschaft Cremer & Wolffenstein. Es war nach seiner Gesamtvollendung eines der größten Warenhäuser in Europa. Das Gebäude wurde während des Zweiten Weltkrieges zerstört und die Ruine daraufhin abgebrochen.
Photo: 1906

Alexanderplatz

Titzenthaler photographierte den Platz in Richtung Süden von einem Erker der Häuser
Alexanderstraße 48 oder 49 aus. An der rechten Seite, mit der Kuppel zum Platz, steht das Gebäude des
Polizeipräsidiums, 1886–1890 nach Plänen von Hermann Blankenstein erbaut. Während des Zweiten
Weltkrieges zerstört, wurde die Ruine 1945 abgerissen. Am rechten Bildrand, an der Königstraße, weist das
von Karl Theodor Ottmer entworfene Königstädtische Theater auf ein Stück Berliner Kulturgeschichte hin.
Vom 4. August 1824 bis zur Schließung am 30. Juli 1851 wurde hier Theater gespielt. Zur Zeit der
Aufnahme nutzte die Gaststätte Aschinger Teile des Hauses. Für die Neugestaltung des Platzes mußte das
Eckhaus 1929 abgebrochen werden. Auf dem »Alex« stand seit 1895 als weiteres Berliner Wahrzeichen die
»Berolina«. Die von Emil Hundrieser geschaffene Kolossalstatue (7,50 Meter hoch) wurde für die
Neugestaltung des Alexanderplatzes abgebaut, im Dezember 1933 neu aufgestellt und 1944 für die
Kriegswirtschaft eingeschmolzen.
Photo: 1909

Alexanderplatz Ecke Neue Königstraße (links)

Das Haus mit dem Gasthof »Zum Hirsch« war ein bekanntes Berliner Barockhaus. Es wurde auch
das »Haus mit den 99 Schafsköpfen« genannt, die sich als Zierornamente aus Stuck an der Fassade
befanden. Friedrich der Große hatte es 1783 von Georg Christian Unger erbauen lassen. 1927 erfolgte der
Abbruch. An der Neuen Königstraße sieht man einen Flügel des »Grand Hotels«, und im Hintergrund
überragt der 104 Meter hohe Turm der 1895–1898 nach Plänen Johannes Otzens
erbauten Georgenkirche die Häuser.
Photo: 1909

Berliner Rathaus

Die Hauptfront mit dem Eingang und dem dominierenden Turm errichtete Hermann Friedrich
Waesemann an der Königstraße, der heutigen Rathausstraße. An der Ecke zur Spandauer Straße stand
ursprünglich das alte Berliner Rathaus, das für den 1861–1869 ausgeführten Neubau abgerissen werden
mußte. Die Gerichtslaube wurde in den Park des Schlosses Babelsberg versetzt. Eine Kopie entstand zur
750-Jahr-Feier Berlins am Nikolaikirchplatz. Wegen des demokratischen Geistes, der schon während der
Kaiserzeit in dem Hause herrschte, und wegen der roten Farbe der Klinkerfronten erhielt das Gebäude im
Volksmund bald die Bezeichnung »Rotes Rathaus«. Im Hintergrund entsteht gerade der Turm des
Stadthauses, heute Sitz des Ministerrates der DDR, erbaut 1902–1911 nach Plänen Ludwig Hoffmanns.
Photo: 1907

Einweihung des Nationaldenkmales für Kaiser Wilhelm I. am 22. März 1897,
dem 100. Geburtstag des Kaisers
Photo: 1897

Nationaldenkmal auf der Schloßfreiheit

Mittelpunkt der Monumentalanlage ist das Reiterstandbild Kaiser Wilhelms I., vom Bildhauer
Reinhold Begas. Das Pferd wird vom Genius des Friedens am Zügel geführt. Auf dem Unterbau stehen auf
vier vorspringenden Postamenten Löwen, die symbolhaft die Siegesbeute des Krieges 1870–1871 bewachen.
Wegen der Löwen nannte der Volksmund das Denkmal »Wilhelm in der Löwengrube«. Zwei der Löwen,
von August Gaul und August Kraus geschaffen, stehen heute vor dem Alfred-Brehm-Haus im Tierpark
Berlin in Friedrichsfelde. Die Säulenhalle im Hintergrund, von Halmhuber entworfen, umgibt
forumartig das Reiterstandbild. Nach dem Abriß der Kolonnaden und der Abtragung des Denkmales
1950 ist heute nur noch der Stufenunterbau vorhanden.
Photo: 1897

Panorama vom Dach der Kommandantur, Unter den Linden Ecke Schinkelplatz

Das Panorama zeigt von links: die 1821–1824 nach Plänen Karl Friedrich Schinkels erbaute Schloßbrücke, die heutige Marx-Engels-Brücke, mit den charakteristischen Marmorgruppen. Die dunkle Fläche in der Brückenmitte deutet an, daß sich hier zum Zeitpunkt der Aufnahme die Brückenklappen befanden. Links des Lustgartens, ihn begrenzend, steht das 1825–1830 ebenfalls nach Plänen Schinkels erbaute Alte Museum. Es dominiert die zum Lustgarten ausgerichtete monumentale Halle mit achtzehn ionischen Säulen. Der Dom, kirchliches Hauptwerk der wilhelminischen Bauepoche, entstand 1894–1905 nach Entwürfen von Julius Carl Raschdorff und dessen Sohn Otto. Zur Zeit der Aufnahme war er noch nicht vollendet. Ein Zaun umgibt das Baugelände. Es folgt die Kaiser-Wilhelm-Straße (nach 1945 Karl-Liebknecht-Straße) mit der gleichnamigen 1886–1889 erbauten Brücke. Für den Straßendurchbruch wurde der Apothekenflügel des Schlosses verkürzt. Links des Apothekenflügels erhebt sich der Turm der Marienkirche, mit dem originell gestalteten Aufsatz in gotisierenden Formen (1789–1790, Carl Gotthard Langhans). Die Lustgartenseite des Schlosses zeigt die Portale IV und V. An der Ecke Schloßfreiheit Lustgarten steht die Adlersäule; den Schaft schuf Christian Gottlieb Cantian aus dem gleichen Block, aus dem die Granitschale im Lustgarten geschaffen worden ist. An der Schloßfreiheit dominiert das von Johann Friedrich Eosander von Göthe entworfene Portal III. 1845 erhielt es, mit dem Bau der kuppelgeschmückten Kapelle, den krönenden Abschluß (Architekten: Karl Friedrich Schinkel, Friedrich August Stüler, Albert Dietrich Schadow). Dem Eosanderportal gegenüber befindet sich das Nationaldenkmal für Kaiser Wilhelm I. Es wurde 1897 eingeweiht. Die Hallenarchitektur entwarf der Architekt Halmhuber, das Reiterstandbild Reinhold Begas.
Photo: 1903

Sternsaal

So genannt wegen der Deckendekoration aus goldenen Sternkreisen. Er diente ab 1888 als Vorsaal zu den Wohnräumen Kaiser Wilhelms II. Der Raum besaß zur Zeit Friedrich des Großen eine Rokokodekoration; von 1824 bis 1826 wurde er für den Kronprinzen, den späteren König Friedrich Wilhelm IV., nach Plänen Karl Friedrich Schinkels umgebaut.
Photo: 1899

Lustgarten und Schloß

Das Photo zeigt das Leben im Lustgarten mit Kindermädchen und ihren Zöglingen. Die innerstädtische Grünfläche entstand in der sichtbaren Form 1871. Anlaß der Umgestaltung war die Aufstellung des Reiterdenkmales für König Friedrich Wilhelm III. Bildhauer war Albert Wolff. Das Portal IV des Schlosses (im Hintergrund) ist erhalten. Es entstand zwischen 1706 und 1713 durch Johann Friedrich Eosander von Göthe als Wiederholung des 1698–1706 nach Plänen Andreas Schlüters entstandenen Portals V. Beim Abriß des Schlosses wurde es ausgebaut und 1962–1964 in die Fassade des Staatsratsgebäudes eingefügt. Von dem Balkon hatte Karl Liebknecht am 9. November 1918 die sozialistische Republik ausgerufen.
Photo: 1913

54

Lustgarten

Auf dem Photo dominiert die Granitschale, die Christian Gottlieb Cantian aus einem der Markgrafensteine
in den Rauenschen Bergen, südlich von Fürstenwalde, 1828–1829 geschaffen hatte. Das viel bestaunte
Wunderwerk, von knapp sieben Metern Durchmesser, sollte nach Plänen Karl Friedrich Schinkels in der
Rotunde des Alten Museums aufgestellt werden. Da es zu groß ausfiel, wurde es 1831 provisorisch und 1834
auf einem von Schinkel entworfenen Sockel vor der Freitreppe des Museums aufgestellt. Bei der
Umgestaltung des Lustgartens in einen Aufmarschplatz 1935 wurden die Grünanlagen entfernt, die Schale
kam in die Anlagen nördlich des Domes. 1981 ist die Granitschale wieder an ihren ursprünglichen
Standort zurückversetzt worden.
Photo: 1913

Unter den Linden

Paradetruppen mit Kaiser Wilhelm II. An der Nordseite der Straße, neben dem Westflügel der Friedrich-
Wilhelms-Universität, steht noch der barocke Bau der Akademie der Wissenschaften und Künste.
1903–1904 entstand an dieser Stelle die Preußische Staatsbibliothek, die heutige Deutsche Staatsbibliothek.
Photo: um 1900

Unter den Linden, Aufzug der Wache

Wachablösungen vor der Neuen Wache (links) zogen stets, damals wie heute, Zuschauer an. Das Zeughaus
(im Hintergrund) war neben dem Schloß der bedeutendste Barockbau Berlins, erbaut 1695–1706.
Architekten wie Arnold Nering, Martin Grünberg, Andreas Schlüter und Jean de Bodt waren am Bau tätig.
Photo: 1902

Bauakademie am Schinkelplatz

Die Bauakademie, eines der modernsten Gebäude der Zeit, ist 1832–1835 nach Entwürfen Karl Friedrich
Schinkels erbaut worden. Im Zweiten Weltkrieg beschädigt, wurde das Gebäude 1961 abgerissen. 1964–1967
entstand an dieser Stelle das Ministerium für Auswärtige Angelegenheiten. Das beim Abriß sichergestellte
Portal befindet sich heute an der 1969–1972 errichteten »Schinkelklause« in der Oberwallstraße.
Photo: 1905

Niederlagstraße 1–3

Die Häuser 1 und 2 wurden 1702 mit königlicher Unterstützung für die französische Gemeinde gekauft.
Sie beherbergten das Konsistorium und das Französische Gymnasium. Zur Zeit Friedrich des Großen
wurden die Vorderhäuser 1786 neu errichtet. Im Hintergrund ist die Friedrichwerdersche Kirche, die
1824–1828 nach Plänen Karl Friedrich Schinkels erbaut wurde, zu erkennen.
Photo: 1909

Schloßplatz mit Blick in die Königstraße (heutige Rathausstraße)

Die Aufnahme entstand vom Balkon des zweiten Geschosses des sogenannten »Roten Schlosses«, An der Stechbahn 3–4, aus. Das Photo zeigt links das Königliche Schloß mit den Portalen I und II. Das Portal I (mit Schilderhäusern) ist der Originalbau aus der Zeit Andreas Schlüters. Im Mittelpunkt des Platzes steht der Neptunbrunnen, 1891 aufgestellt. Er war eine Schenkung der Stadt Berlin an den Kaiser. Seit 1969 steht der Brunnen in unmittelbarer Nähe der Marienkirche. An der rechten Bildseite dominiert der Neue Marstall, 1898–1900 nach Plänen Ernst von Ihnes errichtet. Der Bau in den Formen des Neubarock beherbergt heute die Stadtbibliothek und die Ratsbibliothek.
Photo: 1900

Kurfürstenbrücke, Schloß und Dom

Die Kurfürstenbrücke, ehemalige Lange Brücke, heutige Rathausbrücke, ist der zweitälteste Spreeübergang.
1365 wird sie erstmals als »neue Brücke« erwähnt. 1692–1695 ersetzte man die Holzbrücke durch eine
massive Steinbrücke, nach einem Entwurf Arnold Nerings. 1703 wurde Andreas Schlüters Reiterstandbild
des Großen Kurfürsten – heute vor dem Schloß Charlottenburg – auf der Brücke aufgestellt. Seit der
Verbreiterung und der Umgestaltung im Stil des Neubarock 1895–1896 trug sie bis 1951 den Namen
Kurfürstenbrücke. Die Spreeseite des Schlosses zeigt, in ihrer unterschiedlichen Bauweise, die ältesten Teile
des Schlosses. An dieser Stelle steht heute der 1973–1976 erbaute Palast der Republik.
Photo: 1901

Schloßbrücke, Schloß und Nationaldenkmal Kaiser Wilhelm I.

Am 28. November 1823 wurde die von Karl Friedrich Schinkel entworfene Brücke eingeweiht. Erst ab 1847
folgten die acht Marmorgruppen, ausgeführt von verschiedenen Bildhauern, aber nach Plänen Schinkels.
Im Zweiten Weltkrieg magaziniert, lagerten sie in West-Berlin. Nach der Rückgabe an die DDR erfolgte die
Neuaufstellung 1983–1984. Die heutige Marx-Engels-Brücke trug ursprünglich den Namen Hundebrücke.
Photo: 1913

Brandenburger Tor, Ostseite

Das Wahrzeichen Berlins wurde 1788–1791 nach Plänen des Architekten Carl Gotthard Langhans erbaut.
Es war das erste monumentale Bauwerk des Klassizismus in Berlin. Die Repräsentationsstraße
Unter den Linden erhielt mit diesem Bau ihren architektonischen Abschluß. 1793 kam die in Kupfer
getriebene Quadriga mit der Siegesgöttin auf die Attika des Tores. Nach der militärischen und politischen
Niederlage Preußens ließ Napoleon sie 1806 als Siegestrophäe nach Paris bringen. 1814, nachdem Napoleon
besiegt war, kehrte sie an ihren Standort zurück. Während des Zweiten Weltkrieges wurden Tor und
Quadriga schwer beschädigt. Die Quadriga ist 1956–1958 in der Bildgießerei Noack neu getrieben worden.
Bei der Aufstellung wurden von seiten der DDR der preußische Adler auf dem Stab der Viktoria und das
Eiserne Kreuz im Eichenkranz entfernt.
Photo: 1907

Unter den Linden 10

Berlins Prachtstraße wurde ständig modernisiert. Nicht nur die Straßenmöbel entsprachen den jeweiligen
Mode- oder Kunstepochen. Auch die Häuser, Bürgerhäuser oder Geschäftshäuser, spiegelten den Zeitgeist
wider, hier zum Beispiel den Jugendstil.
Photo: um 1913

Unter den Linden Ecke Friedrichstraße, Mittelpromenade

Der Bummel-Boulevard war Berlins bekannteste Straße der Vorkriegszeit. Hier traf man sich, wollte sehen und gesehen werden. Das Photo zeigt die oft beschriebene und photographierte Ecke Friedrichstraße mit den Cafés Bauer, Kranzler und Victoria. Das Straßenmobiliar unterstreicht nachdrücklich den Boulevardcharakter, die Bedeutung der Straße. Auffallend sind die aufwendig gestalteten Masten für die Beleuchtung der Mittelpromenade. Auf der linken Seite der Promenade (Nordseite) sind eine Schaltsäule der Bewag und eine Uraniasäule zu erkennen. Der Pferdeomnibus-Sommerwagen verkehrte zwischen der Bülowstraße und dem Stettiner Bahnhof.
Photo: 1902

Unter den Linden Ecke Friedrichstraße, Südseite

Die Aufnahme entstand aus dem zweiten Geschoß des Victoria-Hotels, Unter den Linden 46, heraus.
Titzenthaler ging es nicht ausschließlich um eine Ablichtung des berühmten Café Kranzler. Gleichzeitig
zeigt er das Atelier des Hofmalers Arthur Fischer im »Geroldhaus« (rechts). Der 1948 gestorbene
Portraitmaler beschäftigte zeitweise zwanzig Künstler. In der berühmten Kranzler-Ecke eröffnete Johann
Georg Kranzler 1825 seine Konditorei. 1834 gab Friedrich August Stüler dem Haus die sichtbare
Gestaltung. Beide Häuser wurden im Mai 1944 bei einem Luftangriff zerstört.
Photo: 1922

Unter den Linden Ecke Friedrichstraße, Nordseite

Waldemar Titzenthaler bevorzugte als Standorte für seine Aufnahmen Balkons oder Erker. Für dieses
Photo bestieg er den Balkon des Café Kranzler. Von hier hatte er die Übersicht, die er benötigte, um das
Leben auf dem Kreuzungsbereich, aber auch in der Friedrichstraße, zu zeigen. Noch 1910 war das
Radfahren Unter den Linden und in der Friedrichstraße zwischen Leipziger Straße und Stadtbahnhof
verboten. Für Lastenradfahrer galt eine Ausnahmeregelung. An dieser Kreuzung stand am 19.12.1902 der
erste Verkehrspolizist in Preußen.
Photo: 1898

Weidendammerbrücke, auch Weidendammbrücke genannt

Titzenthaler betätigte sich mit dieser Aufnahme einmal mehr als Stadtchronist. Das Photo zeigt die nicht
ganz vollendete Brücke. Die aufwendigen kunstschmiedeeisernen Geländer und Laternenmasten fertigten
verschiedene Werkstätten. Die Brücke wurde 1972 restauriert.
Photo: 1897

Weidendammer Brücke und Friedrichstraße

Die Spreeüberführung war einst die wichtigste Verbindung zwischen der Dorotheenstadt und der
Spandauer Vorstadt. Die Friedrichstraße führte zur Chausseestraße, der Ausfallstraße nach Tegel.
Photo: 1898

69

Leipziger Straße Ecke Friedrichstraße

Das Photo zeigt die Leipziger Straße in Richtung Spittelmarkt. Die Kreuzung Friedrichstraße war wegen des starken Verkehrs bekannt. Das Gebäude der New Yorker Lebensversicherungsgesellschaft »Equitable« wurde 1887–1889 von Karl Schäfer erbaut. Es zeigt die typische Berliner Eckbetonung mit einem Kuppelaufbau. In der ersten Etage befand sich das bekannte Café Kerkau mit einem Damen-Salon.
Photo: 1898

Stadtbahnhof Friedrichstraße

Am 7. Februar 1882 wurde eines der bedeutungsvollsten und größten Ingenieurbauwerke Europas,
die Berliner Stadtbahn, dem Verkehr übergeben; Kaiser Wilhelm I. war dabei. Den Bahnhof
Friedrichstraße entwarf Johannes Vollmer. An der Ecke Friedrichstraße/Georgenstraße stand ursprünglich
der »Circus Renz«. Die Schornsteine im Hintergrund gehören zu den Berliner Elektrizitäts-Werken
am Schiffbauerdamm.
Photo: 1898

Friedrichstraße in Richtung Norden

An der Ecke Behrenstraße befand sich der Südeingang zur Kaisergalerie. Die »Passage« war eines der populärsten Gebäude in Berlin. Der mit Glas überdeckte, architektonisch aufwendig gestaltete Gang führte von der Behrenstraße zur Straße Unter den Linden. 1869–1873 von Walter Kyllmann und Adolf Heyden erbaut, waren Passage-Panoptikum, Linden-Cabaret, Cafés und die Ausstellungsräume des Kunstmalers Arthur Fischer Anziehungspunkt für Berliner und Touristen. Im gegenüberliegenden Eckhaus, Friedrichstraße 165, das Kayser & von Groszheim für die Münchener Pschorr-Brauerei erbauten, befand sich Castans Panoptikum. Der Eintritt betrug in beiden Panoptiken 50 Pfennige. Die Häuser links der Passage, Friedrichstraße 165–167, stehen noch heute.
Photo: 1909

Friedrichstraße 82

Das Eckhaus ist ein typischer Bau der Zeit um die Jahrhundertwende. Die aufwendig gestaltete Fassade betonte die Ecke Friedrichstraße/Behrenstraße durch einen Turmaufbau. Charakteristisch war die Nutzung nicht nur des Erdgeschosses, sondern auch der anderen Etagen durch Geschäfte. Im Eckgeschäft hatte die renommierte Wiener Hutfabrik P. & C. Habig eine Filiale. Die Ecke erhielt durch die Aufstellung einer Uraniasäule eine besondere Betonung. In der Behrenstraße enden die Schienen der Straßenbahn.
Photo: 1904

Leipziger Straße Ecke Friedrichstraße in Richtung Dönhoffplatz-Spittelmarkt

Diese Aufnahme entstand aus dem Atelier Waldemar Titzenthalers, Leipziger Straße 105. Bis 1910 war er hier, an einer der verkehrsreichsten Kreuzungen Berlins, ansässig.

Photo: 1907

Leipziger Straße Ecke Mauerstraße

Das Photo zeigt die Leipziger Straße in Richtung Osten, Dönhoffplatz-Spittelmarkt. In dem Eckhaus Leipziger Straße 19 befand sich das bekannte Café Klose und das Stahlwarengeschäft von Busch. Das angeschnittene Gebäude ganz rechts, Leipziger Straße 14–18, ist das Reichspostamt, das spätere Reichspostministerium (erbaut 1871–1873, erweitert 1893–1898). Teile des Gebäudes, mit Resten der Sammlung des Reichspostmuseums, sind noch heute vorhanden.
Photo: 1897

Leipziger Straße 25

Mit diesem und dem folgenden Photo dokumentiert Titzenthaler ein Stück Wandel im Berliner Stadtbild.
Von seinem Atelier aus photographierte er das Haus Leipziger Straße 25 in zwei Phasen. Das Photo
aus dem Jahr 1900 zeigt, daß das Haus primär von der Leinen- und Gebildweberei F. v. Grünfeld genutzt
wurde. Auf die Weinhandlung Kempinski weist nur das Schild über dem Toreingang hin.
Photo: 1900

Leipziger Straße 25

Das Photo zeigt das gleiche Haus nach dem Umbau von 1905–1906 durch Alfred Balcke. Die Firma Grünfeld hatte ein eigenes Geschäftshaus in der Leipziger Straße 20 eröffnet. Somit war die Voraussetzung für den Umbau gegeben. Die Fassade wurde im Sinn des Jugendstils verändert und endet in einem weinbekränzten Paar unter dem wellenförmigen Dachabschluß. Die Fenster des ersten Geschosses sind gegenüber den früheren großen Schaufenstern verkleinert. Ein Schaufenster des Erdgeschosses ist zum repräsentativen Eingang, in dem ein Portier steht, verändert.
Photo: 1909

Leipziger Straße in Richtung Spittelmarkt

Das Photo zeigt die Ecke Mauerstraße mit dem Café Klose (»Kaffee Klose«), rechts, und dem Eckhaus
Leipziger Straße 112 mit einer Jugendstilfassade und dem Eingang in die Geschäftsräume der
Württembergischen Metallwarenfabrik (WMF).
Photo: 1909

Warenhaus Wertheim, Leipziger Straße und Leipziger Platz

Das Warenhaus Wertheim wurde 1896–1927 erbaut. Die Bauabschnitte 1–3, von 1896 bis 1906 entstanden
nach Entwürfen von Alfred Messel. Messel ist auch der Schöpfer des charakteristischen Kopfbaues
am Leipziger Platz, 1904–1905. Hier galt es, die lange Front an der Leipziger Straße und die Schauseite am
Leipziger Platz zu einem architektonisch-städtebaulichen Höhepunkt zusammenzufassen. Bekannt und
beliebt bei den Berlinern war der große Lichthof mit den Weihnachtsausstellungen. Das Gebäude wurde
1943 teilweise zerstört und brannte 1944 aus. Die Ruine ist 1955 abgebrochen worden. Auf dem
Leipziger Platz stehen die Stände der berühmten Blumenfrauen.
Photo: 1926

Potsdamer Platz

Vom Platz führt rechts die Bellevuestraße in den Großen Tiergarten und links die Potsdamer Straße nach Schöneberg. Im Erdgeschoß des Eckhauses zur Bellevuestraße befand sich das berühmte Café Josty, mit Vorgarten. Auf dem Dach des Hauses wirbt ein weiterer Berlin-Photograph für sich, Albert Schwartz.
Photo: 1901

Potsdamer Platz

Das Photo zeigt rechts den Leipziger Platz mit einem der beiden Torhäuser von Karl Friedrich Schinkel, erbaut 1823–1824. Im Hintergrund geht die Königgrätzer Straße, heutige Ebertstraße, zum Brandenburger Tor und links die Bellevuestraße zum Kemperplatz. Am Potsdamer Platz dominieren die beiden Hotels, das Grand Hotel Bellevue (links), erbaut 1888, und das Palast-Hotel, erbaut 1892–1893. Beide Hotels entstanden nach Entwürfen des Baurates Ludwig Heim. Das Hotel Bellevue wurde für den Bau des Columbushauses (1931) abgerissen; das Palast-Hotel brannte im Zweiten Weltkrieg aus.
Photo: 1903

Leipziger Platz

Der Blick fällt auf das Achteck, das ehemalige Octogon, das durch die Leipziger Straße geteilt wird
(angelegt von Philipp Gerlach, 1732). 1828 gestaltete Peter Joseph Lenné den Platz zum ersten
innerstädtischen Schmuckplatz um. Heute liegt der Platz im Grenzsperrgebiet. Die Umrisse des Achtecks
sind teilweise noch erkennbar.
Photo: 1904

Platz vor dem Potsdamer Bahnhof

Der Vorplatz des Bahnhofes besaß eine Ein- und Ausfahrt zur Königgrätzer Straße (rechts). An der Ecke
Königgrätzer Straße/Potsdamer Platz/Leipziger Platz stand das Hotel Fürstenhof, 1906–1907 von
Bielenberg&Moser erbaut. Turmaufbauten akzentuierten die Gebäudeecken. Auf der linken Seite wird das
Bierhaus Siechen, das spätere Pschorr-Haus, durch einen Turm betont. Johann Emil Schaudt schuf
1909–1910 dieses den Platz mitprägende Bier- und Weinhaus. Beide Häuser wurden während des
Zweiten Weltkrieges zerstört.
Photo: 1922

Platz vor dem Potsdamer Bahnhof

Die Aufnahme zeigt noch einmal den Vorplatz des Bahnhofes, nur aus einer anderen Perspektive.
Auf der Mittelinsel zwischen der Ein- und Ausfahrt zur Königgrätzer Straße, heute Stresemannstraße, steht
eine Uraniasäule. Im Vordergrund ist der Kirchhof der Dreifaltigkeitsgemeinde angeschnitten. An Stelle der
großen Reklame wurde 1909–1910 das Bierhaus Siechen, später Pschorr-Haus, erbaut.
Photo: 1906

Friedhof der Dreifaltigkeits-Gemeinde vor dem Potsdamer Bahnhof

Die Friedhofsmauer verläuft parallel zum Bahnhofsvorplatz. Der Friedhof wurde 1910 eingeebnet, nachdem
die Liegefrist des letzten dort Bestatteten abgelaufen war. Hier befand sich u. a. das Grab von
Johann Karl Philipp Spener, gestorben 1827, des ehemaligen Besitzers der Spenerschen Zeitung.
Photo: 1901

Siegesallee

Die Siegesallee (Puppenallee) war eine Schenkung Kaiser Wilhelms II. an die Stadt Berlin.
32 Denkmalsgruppen wurden als Ruhmesallee der Hohenzollern, von 1898 bis 1901, an der Siegesallee
zwischen Kemperplatz und Königsplatz (Platz der Republik) aufgestellt. Das Photo zeigt die
Gruppe Albrecht II. (1205–1220), von Johannes Böse, aufgestellt am 22. März 1898. Die Beifiguren waren
Eike von Repkow und Hermann von Salza. Für die »Neugestaltung Berlins« wurden die Denkmäler seit
Juni 1938 von der Siegesallee an die Große Sternallee, die von der Tiergartenstraße zum Großen Stern
ging, umgesetzt. Nach dem Zweiten Weltkrieg wurden die zum größten Teil nur beschädigten Skulpturen
am Schloß Bellevue eingegraben, 1978 wieder freigelegt und am Lapidarium, der ehemaligen
Pumpstation III der Berliner Stadtentwässerung am Halleschen Ufer, aufgestellt.
Photo: 1900

86

Friedensallee und Siegessäule

Das Photo zeigt das Leben auf der Verbindungsstraße vom Brandenburger Tor zum Königsplatz.
Spaziergänger, Polizisten, Straßenkehrer, Pferdedroschken und Pferdefuhrwerke bestimmen das Bild.
Die Siegessäule wurde 1865–1873 auf dem Königsplatz aufgestellt (Entwurf: Johann Heinrich Strack) und
1938 auf den Großen Stern umgesetzt.
Photo: 1903

Kahnverleih am Neuen See

Damals wie heute war der Große Tiergarten das beliebteste Naherholungsziel. Im Bereich des sogenannten
Seeparkes liegt der Neue See.
Photo: um 1900

Volks-Park an der Prinzenallee, Ecke Soldiner Straße

In Berlin gab es an mehreren Stellen Volksparks oder Rummelplätze. Der hier gezeigte Volks-Park lag im Norden Berlins, im Wedding. Er war bequem mit der Straßenbahn zu erreichen. Vom Eingang an der Prinzenallee gelangte der Besucher zu den Kettenkarussells, der Rutschbahn, der Achterbahn oder den Bühnen der Schausteller. Das Gelände wurde während des Zweiten Weltkrieges mit einem Luftschutzbunker bebaut. An der Panke im Hintergrund befanden sich Industriehöfe. Noch nach 1945 existierte auf einem Restgelände an der Prinzenallee ein kleiner Rummelplatz. Erst in den letzten Jahren wurde das Gelände bebaut.
Photo: 1918

Kleiststraße mit Rampe der Hoch- und Untergrundbahn zum Bahnhof Nollendorfplatz

Die Stammstrecke der Hoch- und Untergrundbahn zwischen Warschauer Brücke, Knie (heute Ernst-
Reuter-Platz) und Potsdamer Platz wurde 1902 abschnittweise dem Verkehr übergeben. Am 25. März war
die Strecke zwischen Zoologischem Garten und Potsdamer Platz sowie bis Stralauer Tor befahrbar.
Am 31.12.1971 wurde der Verkehr auf diesem Teil der Stammstrecke, zwischen Wittenbergplatz
und Gleisdreieck, stillgelegt.
Photo: 1904

Hochbahnhof Nollendorfplatz

Das Photo entstand kurz nach der Verkehrsübergabe der Stammstrecke. Der Hochbahnhof war nach einem
Entwurf der Architektengemeinschaft Cremer & Wolffenstein errichtet worden. Trotz der Verlängerung
der Halle, 1928–1929, und der Neukonzipierung der Eingänge, 1925–1926 und 1930, blieb die Architektur
bis zum Zweiten Weltkrieg erhalten. Dann wurde sie vernichtet und 1955 vereinfacht wiederhergestellt. Auf
dem Bahnsteig befindet sich seit dem 2. 9. 1973 ein Trödelmarkt.
Photo: 1902

Hochbahnstrecke Gleisdreieck–Bülowstraße

Der Hausdurchbruch Bülowstraße 70 Ecke Dennewitzstraße für die Hochbahnstrecke war zur Zeit der
Anlage eine Sensation und dementsprechend eine Art Sehenswürdigkeit. Unter der Durchfahrt etablierten
sich die »Akademischen Bierhallen«. Während des Zweiten Weltkrieges wurden die Wohnhäuser zerstört.
Photo: 1905

Hochbahnhof Bülowstraße

Den Bahnhof gestaltete der Architekt Bruno Möhring im Jugendstil. Die Stirnseite der Bahnhofshalle
erhielt zur belebten Kreuzung der Potsdamer Straße hin eine besonders aufwendige Architektur. Die Halle
wurde 1928–1929 verlängert. Im Hintergrund, im Zuge der Bülowstraße, ist ein Teil der Lutherkirche
auf dem Dennewitzplatz zu erkennen.
Photo: 1902

Gleisdreieck

Für die Zweiglinie zum Potsdamer Platz war am sogenannten Gleisdreieck eine komplizierte Gleisführung
mit Viadukten angelegt worden. Erst bei der Umgestaltung 1912–1913 wurde an dieser Stelle ein
zweigeschossiger, kreuzförmig übereinanderliegender Hochbahnhof errichtet.
Photo: um 1905

Hochbahnbrücke und Viadukt über den Landwehrkanal und die Anhalter Bahn

Dieser interessante Verkehrspunkt zog viele Besucher an; er war ein gern photographiertes Motiv. Hier überschnitten sich die Verkehrsebenen Wasser, Straße, Eisenbahn und Hochbahn. Die Straße im Vordergrund ist das Hallesche Ufer, die Brücke links die Möckernbrücke. Am linken Bildrand ist der rechte Kopfbau des Anhalter Güterbahnhofes zu erkennen; der Architekt war Franz Schwechten. Es ist der Teil, der 1961 abgerissen wurde und für das Museum für Verkehr und Technik rekonstruiert wird. Die daneben sichtbaren Gleisanlagen des Anhalter Güterbahnhofs sind als Museumsgelände vorgesehen.
Der Schornstein gehört zum Kraftwerk der Hochbahngesellschaft. Die Hochbahnbrücke – mit dem Berliner Bären – entwarf Paul Wittig.
Photo: 1902

Hochbahnhof Möckernbrücke von der Großbeerenbrücke

Der Bahnhof am Landwehrkanal wurde 1898–1901 nach einem Entwurf des Konstruktionsbüros der Firma Siemens & Halske erbaut. Er ist 1936–1937 durch einen Neubau ersetzt worden. 1965 erfolgte ein erneuter Umbau zum Umsteigebahnhof. Die Schornsteine im Hintergrund gehören zum Kraftwerk der Hochbahngesellschaft. Den Viadukt nannte der Volksmund »Magistratsregenschirm«.
Photo: 1902

Blücherplatz, Belle-Alliance-Brücke und Hallesches Tor

Der Hochbahnhof Hallesches Tor ist noch im Bau. Zwischen den beiden Torhäusern von Johann Heinrich
Strack, 1879 erbaut, erblickt man den Belle-Alliance-Platz, den heutigen Mehringplatz.
Photo: 1901

Landwehrkanal, Belle-Alliance-Brücke und Hochbahnhof Hallesches Tor

Der Hochbahnhof wurde von den Architekten Solf & Wichards entworfen. Eine besondere architektonische
Gestaltung erhielt die Halleneinfahrt an der Ostseite durch zwei Werksteinpfeiler mit Flügelrädern.
Das Photo entstand vom Waterloo-Ufer aus und zeigt jenseits des Hochbahnviaduktes die Torhäuser zum
Belle-Alliance-Platz, dem heutigen Mehringplatz. Die von Heinrich Strack entworfenen Häuser wurden
während des Zweiten Weltkrieges zerstört.
Photo: 1902

Hochbahnhof Prinzenstraße

Das Photo entstand während der Bauarbeiten. Titzenthaler interessierte die Einbindung des nördlichen Zuganges, der überdachten Stahlbrücke, in das Wohnhaus Gitschiner Straße 72. Im Zweiten Weltkrieg wurden der Bahnhof, die Brücke und die Wohnhäuser schwer beschädigt. Die Aufgangsseite in Richtung Gleisdreieck war ein Provisorium. Im Mai 1985 wurde eine neue Stahlbrücke und ein neuer Eingangsbereich geschaffen. Diesmal jedoch nicht in einem Wohnhaus, sondern in dem Neubau des gleichzeitig nach den Plänen des Architekten Wolf-Rüdiger Borchardt errichteten Regionalstellwerkes der BVG.
Photo: 1901

Hochbahnhof Stralauer Tor

Der Hochbahnhof am ehemaligen Stralauer Tor erhielt 1924 den Namen Osthafen. Das Treppengebäude
mit dem Verbindungsgang zur Bahnhofshalle entwarf Regierungsbaumeister Necker. Der Bahnhof
wurde im Zweiten Weltkrieg zerstört. Rechts an den Bahnhof schließt sich die Oberbaumbrücke an. Die
Straße im Vordergrund ist die Mühlenstraße, die hinter der Hochbahnbrücke den Namen Stralauer Allee
trägt. Im Hintergrund an der Spree befanden sich Lagerplätze für Baumaterial, das Gelände des Berliner
Ruder-Clubs und die Berliner Schwimmschule. Hier entstand der 1913 in Betrieb genommene Osthafen.
Photo: 1902

Askanischer Platz und Anhalter Bahnhof

Dieses Photo gehört zu den bekanntesten Aufnahmen Waldemar Titzenthalers. Es zeigt die
Königgrätzer Straße, die heutige Stresemannstraße, und nach rechts abgehend die Schöneberger Straße.
Klar beherrscht die Architektur des Bahnhofes den Platz. Franz Schwechten, der Erbauer der Kaiser-
Wilhelm-Gedächtniskirche, entwarf die Halle und der Schriftsteller und Ingenieur Heinrich Seidel, der
Autor der Geschichte des Leberecht Hühnchen, die Dachkonstruktion. Von hier fuhren die Reisenden nach
Dresden, Leipzig, Halle, Thüringen oder Bayern, weshalb der Bahnhof auch »Tor zum Süden« genannt
wurde. Während des Zweiten Weltkrieges wurde der Bahnhof schwer beschädigt, 1946 die
Dachkonstruktion gesprengt. Bis zum 18. Mai 1952 verkehrten noch Züge in der Fernbahnhalle. 1959–1960
wurde der Bahnhof bis auf einen Portalrest abgetragen.
Photo: 1910

Bahnhof Zoologischer Garten und Westeisbahn

Der Bahnhof Zoologischer Garten wurde mit Inbetriebnahme der Stadtbahn am 7. Februar 1882 eröffnet.
Zwei Jahre später kam der Fernverkehr hinzu. Das Photo zeigt die beiden nebeneinanderliegenden Hallen,
links Stadtbahn, rechts Fernbahn. Der Zu- und Abgang vom Stadtbahnhof erfolgte zur Hardenbergstraße.
1934 ist der Bahnhof abgerissen und in neuer Form wieder errichtet worden. Mittelpunkt des Photos ist der
Vergnügungspark »Westeisbahn« mit dem großen Rundbau der Eislaufstätte. Der Eingang zum Gelände
war einem römischen Triumphtor nachgebildet. An Stelle des Vergnügungsparkes steht heute an der
Hardenbergstraße Ecke Jebensstraße das Bundesverwaltungsgericht, das 1907 als Königlich-preußisches
Oberverwaltungsgericht seine Arbeit aufnahm.
Photo: 1898

Hardenbergstraße

Waldemar Titzenthaler hat den Gebäudekomplex der Hochschule für bildende Künste,
Hardenbergstraße 33, und der Hochschule für Musik und darstellende Kunst, Fasanenstraße 1, vor der
Einweihung am 2. November 1902 aufgenommen. Den Bau im Neobarockstil entwarfen die Architekten
Kayser & von Groszheim. Der Bau des Konzertsaales, der die Ecke Hardenbergstraße/Fasanenstraße
betonte, wurde im Zweiten Weltkrieg zerstört. Am 28. Februar 1954 ist der Neubau (Entwurf Paul
Baumgarten) eingeweiht worden. Eine Studiobühne, an Stelle des gleichfalls zerstörten Theatersaals, folgte
1975. Im gleichen Jahr erhielten die Hochschule der Künste und die Hochschule für Musik den
gemeinsamen Namen Hochschule der Künste.
Photo: 1902

Reichskanzlerplatz

Die gärtnerische Gestaltung des heutigen Theodor-Heuss-Platzes erfolgte 1904–1908. Der Untergrundbahnhof wurde am 29. 3. 1908 eröffnet. Die Eingänge entwarf Alfred Grenander. Da der Bahnhof zur Zeit der Aufnahme Endbahnhof war, ist der rechte Eingang geschlossen. Ein Pfeil weist auf den Eingang auf der Mittelinsel. Erst 1913 erfolgte die Verlängerung der Linie bis zum Bahnhof Stadion. Der Platz ist von unbebauten Grundstücken umgeben, die zum Verkauf angeboten werden. Im Hintergrund wird die Heerstraße angelegt.
Photo: 1909

Bayerischer Platz in Richtung Landshuter Straße

Das Bayerische Viertel entstand im ersten Jahrzehnt des 20. Jahrhunderts. Mittelpunkt war der Bayerische Platz. Die gärtnerische Gestaltung, mit Brunnen und Pergola, entstand 1907–1908 nach einem Plan des Gartenarchitekten Fritz Encke. Das Photo diente der Malerin Christine Nestler 1980 als Vorlage für die Giebelmalerei an der Brandmauer des Hauses Landshuter Straße 22.

Photo: 1909

Invalidensäule im Invalidenpark

Das Militärkonzert findet zwischen dem Invalidenhaus und der Invalidensäule statt. Die Säule wurde
1851–1854 nach einem Entwurf des Architekten Brunckow errichtet. Die Ausführung lag in den Händen
Friedrich August Stülers und August Sollers. Das Denkmal sollte an die in den Revolutionsjahren 1848–1849
gefallenen preußischen Soldaten erinnern. Es war aus Gußeisen. Von der umlaufenden Galerie, in etwa
40 Meter Höhe, hatte der Besucher eine weite Sicht über die Stadt. Die Invalidensäule wurde im
Zweiten Weltkrieg zerstört.
Photo: 1897

Feuerwehrübung auf dem Königsplatz, dem heutigen Platz der Republik

Zu der Feuerwehrübung in unmittelbarer Nähe der Krolloper (links) waren Photographen geladen.
Sie sollten die Arbeit der Feuerwehr dokumentieren. Im Hintergrund ragt der Dachaufbau des
Generalstabsgebäudes über die Bäume.
Photo: 1897

Luisenstädtischer Kanal mit Köpenicker Brücke

Der Luisenstädtische Kanal wurde nach 1848 im Zusammenhang mit der Bebauung des Köpenicker Feldes, im Rahmen einer Arbeitsbeschaffungsmaßnahme, angelegt und 1926 im Notstandsprogramm wieder zugeschüttet. Den Verlauf des Kanals entwarf Peter Joseph Lenné. Das Photo zeigt im Vordergrund die Köpenicker Brücke im Zuge der Köpenicker Straße. Das Eckhaus steht Köpenicker Straße Ecke Mariannenufer, heutige Köpenicker Straße Ecke Bethaniendamm. Im Hintergrund ist die Zwillingbrücke zu erkennen. Jenseits der Spree steht die Andreaskirche.
Photo: um 1920

Oranienplatz

Der Luisenstädtische Kanal teilt den Oranienplatz. Die Straßenbahn fährt im Zuge der Oranienstraße über
die Oranienbrücke. Im Hintergrund sieht man das Luisen- und Elisabethufer, heute Legiendamm
und Leuschnerdamm. Rechts geht die Naunynstraße ab. Beim Neubau der Oranienbrücke wurde
der Oranienplatz umgestaltet und erhielt 1906 die monumentalen Laternenträger nach Entwürfen von
Bruno Schmitz.
Photo: 1925

Landwehrkanal

Titzenthaler photographierte den Kanalverlauf mit Uferbegrünung und Baumbestand von der
Königin-Augusta-Straße (heute Reichpietschufer) aus in Richtung Von-der-Heydt-Brücke. Links des Kanals
verläuft das Schöneberger Ufer. Für die Bewohner des Tiergartenviertels waren die hier ankernden
Verkaufsschiffe eine beliebte Einkaufsquelle. Der Landwehrkanal wurde 1845–1850 nach Plänen
Peter Joseph Lennés angelegt, 1883–1889 erweitert und mit der sichtbaren Uferbefestigung versehen.
Photo: 1910

ZU DEN PHOTOGRAPHIEN

Alle Photographien, die in diesem Bildband 50 Jahre nach dem Tode Waldemar Titzenthalers veröffentlicht werden, entstammen dem über den Krieg und seine Zerstörungen hinweggeretteten Bildarchiv des Photographen, dessen noch vorhandener Bestand Anfang der 50er Jahre von der Landesbildstelle Berlin aus dem Nachlaß von der Witwe Titzenthalers erworben werden konnte. Sie sind seitdem im Besitz des Landesbildarchivs, das sie als wertvolle Bildquellen zur Stadtgeschichte durch sachgerechte Aufbewahrung und Pflege für die Nachwelt soweit wie möglich erhalten und durch die Anfertigung von Negativ-Duplikaten von den Original-Glasplatten auch gesichert hat. Die Duplikate sind in die topo-graphische Dokumentation Berlins nach der Systematik des Bildarchivs eingeordnet und in diesem Zusammenhang in den vergangenen drei Jahrzehnten zu dokumentarischen Zwecken vielfach genutzt worden – meist ohne Nennung des Namens Waldemar Titzenthaler.

Da ein großer Teil der Original-Glasplatten noch als geschlossene Sammlung erhalten ist, haben sich die Herausgeber entschlossen, für diese Veröffentlichung anläßlich der 750-Jahr-Feier Berlins nur Kontaktkopien von diesen Platten zu verwenden, um damit einem größeren Publikum einen möglichst originalgetreuen Eindruck der meisterhaften Berlin-Photographien Waldemar Titzenthalers zu vermitteln.

LITERATUR

WERKE TITZENTHALERS:

Das National-Denkmal »Kaiser Wilhelm der Große«, o.O., o.J. (um 1900), Leporello.

Ist der deutsche Photographengehilfen-Verband in seiner gegenwärtigen Zusammensetzung als die Vertretung unserer Mitarbeiter anzusehen? Photographische Chronik 1907, S. 83–85.

Ausblick in die Zukunft der Berufsphotographie. Photographische Chronik 1908, S. 161–162.

Berlin und die Mark (Photographische Wanderbücher 1), Verlag der optischen Anstalt C. P. Goerz AG, Berlin 1918 (^{3}1924).

ZEITGENÖSSISCHE WERKE MIT PHOTOS TITZENTHALERS (Auswahl):

Berlin (Ansichten von Berlin), Berlin-Schöneberg 1902.

Album von Berlin. Berlin (Globus-Verlag) o.J. (um 1908).

Album von Berlin, Charlottenburg und Potsdam. Berlin (Globus-Verlag) o.J. (1910) (sowie weitere Ausgaben).

Johannes Trojahn: Unsere deutschen Wälder, hrsg. von Franz Goerke. Berlin 1911.

Das malerische Berlin, hrsg. vom Märkischen Museum, Folge 1–3. Berlin 1911/1912/1914.

Max Osborn: Berlin. Berlin o.J. (um 1913).

Die schöne Heimat. Bilder aus Deutschland (Die blauen Bücher). Königstein/Taunus 1915 (und später).

Von heimischen Gewässern und ihren Schönheiten (Die deutschen Bücher). Berlin o.J. (1927).

Das deutsche Lichtbild, Jg. 2, Berlin 1928/29.

Dr. Franz Lederer: Berlin und seine Umgebung. Berlin o.J. (^{2}um 1930).

ÜBER TITZENTHALER (Auswahl):

50 Jahre Ullstein. Berlin 1927, S. 288.

Berlin in Photographien des 19. Jahrhunderts, hrsg. von Friedrich Terveen. Berlin 1968 (behandelt hauptsächlich Titzenthaler).

Friedrich Terveen: Bild- und Filmdokumente zur Geschichte Berlins. Aus der Arbeit der Landesbildstelle Berlin (Berliner Forum 7/75). Berlin 1975.

In unnachahmlicher Treue (Ausst. Kat.). Köln 1979 (mehrfache Erwähnung Titzenthalers).

August Sander: Menschen des 20. Jahrhunderts, hrsg. von Gunther Sander, Einleitung von Ulrich Keller. München 1980, S. 35.

Lichtbildnisse. Das Porträt in der Fotografie (Kat.), hrsg. von Klaus Honnef. Köln 1982 (mehrfache Erwähnung Titzenthalers).